Sylvain

D0512149

L'Arche du millénaire

Ados
dultes

Éditions de la Paix

Le Conseil des Arts : The Canada Council
du Canada : for the Arts

Nous remercions
le Conseil des Arts du Canada de l'aide accordée
à notre programme de publication.

Nous reconnaissons l'aide financière
du gouvernement du Canada par l'entremise du
Programme d'aide au développement de l'industrie de
l'édition (PADIÉ) pour nos activités d'édition.

Sylvain Meunier

L'Arche du millénaire

Collection Ados/Adultes, no 15

Éditions de la Paix
pour la beauté des mots et des différences

© **Éditions de la Paix**

Dépôt légal 1er trimestre 2001
Bibliothèque nationale du Québec
Bibliothèque nationale du Canada
Imprimé au Canada

Illustration Philippe Arseneau Bussières
              Julie Saint-Onge Drouin
Infographie Geneviève Bonneau
Révision Jacques Archambault

Éditions de la Paix
127, rue Lussier
Saint-Alphonse-de-Granby, QC J0E 2A0
Téléphone et télécopieur (450) 375-4765
Courriel **info@editpaix.qc.ca**
Site Web **http://www.editpaix.qc.ca**

**Données de catalogage avant publication
(Canada)**

Meunier, Sylvain

    L'Arche du millénaire
    (Collection Ados/Adultes, ; 15)
    Comprend un index.
    ISBN 2-922565-33-5
    I. Titre. II. Collection
PS8576.E9A83 2001   Jc843'.54   C2001-940225-2
PS9576.E9A83 2001
PZ23.M48Ar 2001

Merci à Anne-Marie Aubin
pour m'avoir fait profiter
de sa profonde connaissance
des jeunes lecteurs.

Prologue

Le mardi 31 décembre de l'an 2034

Seul un homme et une femme, au fond, demeurent imperturbables, tandis que les autres passagers de la soucoupe poussent en chœur des oh ! et des ah ! Comment ne pas être impressionné par le spectacle de la grande île de Madagascar qui brille de toute sa verdure, telle un million d'émeraudes sur le tapis bleu de l'océan Indien, à quinze mille mètres au-dessous ? Comment ne pas être saisi par le fait que, seulement quelques dizaines de secondes auparavant, la soucoupe était posée, inerte, sur le béton brun de la piste de décollage ?

La SPM (Soucoupe Propulsée par Magnétisme), vient tout juste de s'élever sans le moindre bruit, sans la moindre secousse, jusqu'au cœur de la stratosphère, et voilà qu'à travers son plancher vitrifié, on voit déjà la nappe blanche du continent Antarctique, encore éblouissante dans la lumière ininterrompue du solstice d'hiver. Les exclamations admiratives ne cessent de fuser.

Et ça ne fait que commencer ! pense l'homme, que ce voyage fantastique n'étonne pas davantage qu'un parcours en métro.

Il faut dire que les passagers ont payé une fortune cette fabuleuse excursion dans « la plus grande invention depuis celle de la navigation à voiles », ainsi que le proclame avec raison la publicité. Pour le moment, l'atmosphère terrestre se salit encore de la fumée des derniers avions à réaction, mais les jours de ces machines polluantes sont comptés. Utilisant les courants magnétiques qui parcourent la Terre, la SPM se déplace à des vitesses hallucinantes sans produire le moindre déchet. L'ordinateur de bord calcule les manœuvres de manière à amener la soucoupe à destination. Le véhicule est au point, mais avant d'éliminer définitivement les avions traditionnels, il faut mettre en place un système informatisé pour gérer la circulation ; c'est pourquoi, il n'existe encore qu'une demi-douzaine de SPM et que leur usage est réservé à l'hémisphère sud, où le trafic est plus léger.

L'homme assis au fond sait tout cela et il n'écoute pas le guide. Il a tout appris sur la SPM avant même que son image n'apparaisse pour la première fois dans les médias, et à titre d'agent spécial de l'ANGE (Association des Nations contre les Génocides et les Exterminations), ni lui ni la femme qui l'accompagne n'a eu à payer sa place.

Ce n'est cependant pas la soucoupe qui attire vraiment les passagers. Si la SPM est une merveille, sa destination, elle, dépasse de loin tout phénomène extraordinaire retenu par la mémoire humaine. Ce qui a motivé ces gens riches à quitter le Japon, l'Europe, New York... pour participer à cette excursion d'à peine une heure, c'est le privilège extrêmement rare d'approcher la plus que fameuse Boule de nuit !

— Elle se trouve aujourd'hui à 21 degrés, 8 minutes 37 secondes au sud de l'Équateur, explique le guide, soit tout près du Tropique du Capricorne. L'ordinateur a isolé un courant qui remonte vers le Nord ; nous devrions apercevoir la Boule dans quelques secondes. Tout le monde sait que la Boule se déplace lentement, de manière imprévisible, à l'intérieur d'un cercle d'environ 200 kilomètres de diamètre. Elle décharge dans son environnement immédiat de formidables inductions magnétiques susceptibles de faire éclater en miettes les plus gros navires, à moins qu'elle ne les gobe tout simplement à la manière d'un aspirateur géant. Nous ne risquons rien puisque la soucoupe ne comporte aucune composante métallique ; d'autre part, l'ordinateur de bord réagit instantanément à la moindre fluctuation magnétique. Justement, la voilà !...

Le silence tombe tout à coup sur les passagers. L'homme assis au fond rectifie sa position. Il se croise les bras, porte la main gauche à sa mâchoire, ses sourcils se froncent, son regard d'acier se fige, et il cligne plusieurs fois des yeux. La femme bouge à peine, mais ses lèvres se crispent et, si elle ne portait pas de lunettes noires, on pourrait voir ses larmes.

Ce qu'on aperçoit n'est pas vraiment une boule, mais un gigantesque dôme hémisphérique absolument vide. C'est grand comme une métropole et c'est effrayant de ténèbres. Le guide sait qu'il doit poursuivre son exposé, car la contemplation prolongée de ce vide peut rendre fou un esprit fragile.

— La Boule de nuit, dont on ne voit jamais que le champ de vide qui l'entoure, est apparue le dernier jour de l'année 2030, donc il y a un an jour pour jour, année dont la fin fut marquée, comme vous le savez, par une cascade de phénomènes étonnants... La Boule proprement dite a un diamètre de 6,36 centimètres. On ignore sa masse exacte, mais on sait qu'elle est prodigieuse.

Il y a peut-être dans cette Boule plus de matière que dans l'Himalaya entier. Elle tourne sur elle-même à une vitesse estimée à 360 000 tours à la seconde. C'est sans doute à cette rotation infernale qu'on doit l'équilibre qui s'est établi entre la Boule et son environnement. On pense que si la Boule cessait de tourner, elle attirerait à elle toute la matière terrestre, et que ce serait littéralement la fin du monde.

Les passagers retiennent un moment leur souffle. Ni l'homme au regard d'acier ni la femme aux lunettes noires ne réagissent, complètement perdus dans leurs pensées. Pour eux, de toute façon, le monde ne sera plus jamais le même.

— Mais rassurez-vous, poursuit le guide, on ne voit pas ce qui pourrait l'empêcher de tourner.

Maintenant, la soucoupe trace de grands cercles autour de la Boule de nuit. Il sera bientôt midi. Le soleil tropical fait monter la vapeur de l'océan, et pourtant, de ce même océan, émerge une nuit ronde qui culmine à trois kilomètres d'altitude. On ne voit rien à l'intérieur, on ne voit pas au travers non plus, mais on voit qu'il n'y a rien, et ce vide est le plus terrifiant de tous les spectacles. Pas un savant, pas un militaire, pas un président n'a pu échapper, voyant la Boule pour la première fois, au malaise glacial que provoque le fait de contempler le néant de la mort avec des yeux grands ouverts.

— C'est comme un trou noir ! hasarde une fille aux cheveux violets.

— À peu près ! lui rétorque le guide assis au centre, dans un fauteuil pivotant.

— Comment sait-on qu'il y a une Boule si on ne peut pas la voir ? questionne un garçon à l'air frondeur.

— C'est compliqué. Comment sait-on qu'il y a du vent même si on ne le voit pas ?

— Ce n'est pas pareil, le vent, on le sent.

— Justement oui, c'est pareil ! On sent la Boule par ses effets, non pas sur la peau, mais sur différents instruments de mesure. Tout cela est bien expliqué au musée de l'aérodrome que vous pourrez visiter au retour.

— Mais elle s'est faite comment, cette chose ? demande une vieille dame en esquissant un signe de croix.

L'homme assis au fond sait que le guide répondra que l'origine de la Boule est pour le moment un mystère complet. Et l'homme sait que le guide est sincère puisque lui-même, justement, est payé pour faire en sorte que le mystère demeure.

La SPM reste un long moment en position stationnaire, à deux kilomètres au-dessus de la boule. Le plancher vitrifié pivote sur lui-même ; c'est en fait une lentille géante, et les passagers ont l'impression de descendre sur la Boule, d'aller presque toucher cette nuit si terriblement dépourvue d'étoiles, cette nuit d'avant le monde. Ou d'après.

L'homme et la femme du fond, eux, regardent sans terreur. Le refoulement des larmes est douloureux. C'est qu'ils savent que l'origine de la Boule n'est pas du tout un mystère. Ils ont vécu l'histoire de la Boule et ils ne l'oublieront jamais. Comment le pourraient-ils, alors qu'au cœur de cette invraisemblable nuit reposent à jamais, sûrement réduits en un infime granule de matière inerte, les restes de milliers de personnes, et qu'il s'en est fallu de presque rien qu'y reposent aussi à jamais ceux de leur fils, qu'ils n'ont pas revu depuis cinq ans. Cinq ans...

Chapitre premier

Quatre ans plus tôt, quelques jours avant Noël de l'an 2030...

— Mon père !

Olivier Morier retient l'aiguille qu'il s'apprêtait à introduire dans sa bactérie préférée, et, abandonnant le microscope électronique qui lui permettait de procéder à la délicate opération, fixe son interlocuteur de ses grands yeux noirs qui ont fait frémir, à un moment ou l'autre, à peu près tous les membres féminins de la faculté des sciences.

— Mais oui, votre PÈRE ! poursuit le professeur Séquent, agacé. Qu'est-ce que cela a de si étonnant ?

Cela a d'étonnant qu'Olivier n'a pas revu son père depuis plus de deux ans ! À l'été 2228, ils avaient passé deux jours ensemble, avec sa mère, dans les Laurentides. En fait, Olivier n'a rencontré son père qu'une dizaine de fois. Tout petit, il le confondait avec le père Noël ! Il a compris depuis que son père passe sa vie à parcourir le monde et à la risquer dans des missions périlleuses. Il a aussi compris que c'est un choix de vie que font tous les agents secrets de ce monde. Son père lui écrit cependant régulièrement et celui-ci a suivi de près les premiers pas de son fils dans la vie, des premiers pas spectaculaires, puisque le docteur Olivier Morier est ce qu'on appelle un enfant prodige, un authentique petit génie, et qu'à vingt et un ans à peine, il compte parmi les plus importants chercheurs du laboratoire de génétique de la faculté des sciences.

Le professeur Séquent, cependant, directeur du laboratoire, ne veut pas attendre qu'Olivier, de souvenir en souvenir, se rende au bout de son étonnement. Il lui ordonne de le suivre.

— Si ce n'est PAS votre père, vous le verrez bien, et je les FICHE dehors. Ce n'est pas l'ENDROIT pour faire des plaisanteries. Ils sont installés dans MON bureau ; j'espère que ce ne sera pas long !

— Ils... ?

— Mais oui, ils sont trois... mais je suppose qu'il n'y en a qu'UN qui est votre père, n'est-ce pas ?

Le professeur est toujours de mauvaise humeur. Renvoyant, d'un coup de tête, sur le dessus de son crâne dégarni sa fameuse mèche de cheveux poivre et sel qui lui donne son air de sombre génie, il se dirige d'un pas martial vers son bureau.

Olivier n'aime pas son patron, mais il le suit quand même à travers le laboratoire. Ici, tout le monde cherche la même chose : percer les derniers mystères du génome humain, cette chaîne microscopique de quelques millions de chromosomes qui fait, par exemple, qu'on est petit ou grand. Chaque fois qu'Olivier ou ses collègues trouvent quelque chose, la renommée du professeur Séquent grandit.

Le professeur s'arrête deux ou trois fois, le temps de donner sèchement quelques consignes. On lui répond avec déférence, le savant n'inspire pas la familiarité. Olivier a l'impression qu'il est un peu plus dur encore avec lui à cause de son jeune âge.

— TIENS, notre petit GÉNIE s'est TROMPÉ ! lui envoie-t-il parfois, avec un mauvais sourire, quand Olivier fait un faux pas.

« Il est jaloux, le vieux ! » lui a soufflé un confrère. Peut-être bien, mais tout cela fait qu'Olivier n'est pas très heureux.

Il devrait être ravi de retrouver son père, mais à cause de l'endroit, il éprouve une sorte d'appréhension. S'il était arrivé quelque chose à sa mère ? Mais non ! Il l'a quittée en pleine forme, ce matin. Pourquoi donc son père vient-il le voir ici ?

Le professeur ouvre la porte de son bureau. Olivier hésite.

— Mais venez, voyons !

On n'entre jamais dans ce bureau, sinon pour y recevoir des reproches.

— Bonjour, Olivier.

Olivier reconnaît la voix basse, vibrante, un rien traînante, avec cet accent *chewing-gum* qui trahit son origine américaine. Il se retourne, Lex Coupal le fixe de son fascinant regard d'acier. Il est debout, les bras croisés, le fessier appuyé sur un classeur. Olivier n'a jamais sauté dans les bras de son père. Pourtant, sa vue éveille en lui des frissons de tendresse. Jamais il n'a douté de leur affection réciproque, mais la distance les a empêchés de faire des gestes de complicité. Aujourd'hui, son père a l'air plus grave que de coutume.

— Bonjour, papa ! Qu'est-ce qui se passe ?

Il aurait voulu dire quelque chose de plus chaleureux, mais déjà Lex Coupal le rassure.

— Tu vas tout savoir à l'instant... Professeur, pouvons-nous vous demander de nous laisser seuls ?

— Pardon ? réplique le professeur, indigné, en renvoyant encore sur le toit de son génie sa fameuse mèche rebelle. Ce n'est pas un parloir, ici, Monsieur, c'est MON bureau !

— Nous en sommes bien conscients, mais nous avons besoin de toute la discrétion possible, et nous devons faire vite.

— Voyez-vous ÇA ! Mais, je TRAVAILLE dans ce bureau !...

— Je vous en prie, professeur. Ceci est une affaire de la plus haute importance...

Pour la première fois, Olivier voit son père en pleine action, et il comprend pourquoi il est l'un des agents les plus efficaces qu'aient produits les États-Unis. Il a plongé son regard d'acier dans les yeux de son interlocuteur, et le terrible professeur a tout d'un coup l'air d'un shtroumpf timide.

— Oui... bon... je dois aller jeter un coup d'œil aux cultures microbiennes...

La porte refermée, Lex Coupal reprend la parole :

— J'espère que tu es en forme, Olivier.

— Je viens toujours travailler par l'escalier !

Lex Coupal sourit. La vie de petit génie ne laisse pas beaucoup de temps à Olivier pour pratiquer les sports, alors son père lui a fait la recommandation de toujours éviter les ascenseurs et les escaliers mécaniques.

— Excellent, mais c'est surtout de ton cerveau que tu vas avoir besoin maintenant. Nous avons beaucoup de choses à t'expliquer, après quoi tu devras prendre une grande décision, très vite.

— Moi ?

— Oui, c'est de toi que nous avons besoin, mais écoute plutôt. Tu comprends l'anglais, n'est-ce pas ?

De la main, Lex Coupal invite son fils à s'asseoir dans le fauteuil de son patron. Ce dernier hésite, puis accepte, et cela lui procure une sensation pas du tout désagréable. C'est alors seulement qu'il prête un peu d'attention aux deux hommes qui accompagnent son père.

L'un est petit et porte des lunettes ; il ouvre un ordinateur portable et tape de brèves commandes. L'écran s'agite et finalement, un titre apparaît, l'*Arche du millénaire*.

L'ordinateur parle :

— L'Arche du millénaire a été fondée vers la fin des années quatre-vingt-dix par Siméon Louis.

L'écran montre la photo d'un homme à longs cheveux blancs, un genou par terre, entourant de son bras la tête d'un loup.

— Siméon Louis, métis originaire de la Côte Nord du Saint-Laurent, au Québec, a connu la renommée en Californie à partir de

1985. Ses sermons en faveur de la sauvegarde de la faune et de la flore trouvaient un écho favorable chez les adeptes, très nombreux à l'époque, d'une philosophie assez fumeuse qu'on appelait le nouvel âge.

À l'écran, apparaît Siméon Louis s'adressant à un groupe de jeunes gens aux cheveux longs piqués de fleurs. Il dit : « Les Blancs se demandent toujours à quel homme appartient la terre ; les Indiens savent à quelle terre appartient l'homme. »

— Vers 1997, grâce aux dons de plusieurs vedettes, il a fait l'acquisition d'un vaste domaine dans le Montana, avec l'aide de ses disciples, (photo de groupe) où il s'est occupé de recueillir des spécimens d'espèces menacées, qu'il relâchait dans la nature à mesure qu'ils se reproduisaient. Il a bientôt dû affronter l'hostilité des éleveurs locaux qui n'appréciaient pas de voir des prédateurs, tel le coyote, se réimplanter dans la région. Siméon Louis a été assassiné par balle le 23 juin 1999 (photos du corps de Siméon Louis étendu dans la poussière, la poitrine noire de sang). On n'a jamais trouvé le coupable.

La mort de Siméon Louis n'a pas entraîné la disparition du mouvement, mais a provoqué un changement radical dans sa façon de faire. Il a été repris en mains par

Didier Reblochon, un Américain d'origine suisse, personnage trouble qui avait adhéré au groupe après avoir purgé six mois de prison pour trafic de stupéfiants. Il s'est proclamé héritier spirituel de Siméon Louis, avec lequel il prétend toujours communiquer par-delà les limites de la mort. Il s'est bientôt fait appeler Maneïdhou, nom qui serait l'origine du mot Manitou, en sanscrit, la langue de l'Inde ancienne.

Au cours des années, il a mis au point toute une mythologie, et le mouvement est devenu une véritable secte religieuse (photo de Maneïdhou entouré de disciples vêtus de longues robes vertes). Les disciples doivent désormais offrir tous leurs biens à la secte et abandonner leurs autres relations. En principe, rien ne les empêche de quitter la secte, mais comme ils n'ont plus rien, c'est très difficile.

Sous la gouverne de Maneïdhou, le ranch du Montana a pris des allures de forteresse. On y recueillait toujours des animaux, mais il n'était plus question de les relâcher. Le ranch accueillait aussi de nombreux visiteurs fortunés. Maneïdhou exige de ses ouailles une adhésion corps et âme, et il n'est pas exclu que les plus jeunes soient formés pour offrir des services sexuels aux visiteurs. Ce qui est sûr, par contre, c'est que

Maneïdhou s'est rapidement construit un réseau de relations qui assure toujours le financement de la secte.

En 2007, grâce à l'appui de l'émir du Châthan, la secte a emménagé sur une île volcanique de formation récente où elle fleurit toujours, à l'abri des lois et des regards indiscrets.

Maneïdhou a aujourd'hui soixante-dix ans. L'île, qui porte elle-même le nom d'Arche du millénaire, abrite environ deux mille personnes, dont plusieurs scientifiques. La secte se vante d'avoir recueilli quelque huit cents espèces animales et d'accroître chaque jour son cheptel.

La seule ombre au tableau de la réussite de Maneïdhou est la prédiction de 2018. Il disait avoir reçu le message de Siméon Louis que la Terre était sur le point d'être détruite par une catastrophe écologique sans précédent. Cette fausse prédiction a entraîné un doute profond chez de nombreux sympathisants qui avaient fait parvenir des provisions de toutes sortes dans l'Arche, car bien entendu, l'Arche devait être le seul point du globe épargné.

Maneïdhou s'est tiré adroitement de ce faux pas en expliquant que la fin du monde était commencée, mais qu'il s'agissait d'un processus beaucoup plus long que ce que l'on croit généralement. L'inquiétude et l'horreur causées par les révoltes massives des populations du tiers monde et leurs répressions, entre 2020 et 2025, ont redonné quelque crédibilité à sa thèse. Maintenant, Maneïdhou soutient que le monde ne survivra pas à l'an 2031.

— Eh, mais 2031, c'est dans quelques jours !

— En effet, répond Lex Coupal. Tu connaissais l'Arche du millénaire ?

— Bien oui, un peu... La religion, ce n'est pas tellement dans mes cordes.

— Nous savons cela.

— J'aimerais comprendre pourquoi vous êtes venus me parler de cette secte.

— Comme tu viens de le constater, l'ANGE a toujours suivi ses activités de près.

— Pourquoi ? Est-ce qu'ils font tant de tort ?

— Le but de l'ANGE est de prévenir des horreurs, tels les suicides collectifs, et nous réussissons assez bien puisque, depuis le cas Jim Jones, en Guyane, où 700 personnes ont été empoisonnées, dont plusieurs enfants, ou encore le siège de Waco, au Texas, qui a provoqué un bain de sang, et puis les suicides ou les meurtres des adeptes de l'Ordre du temple solaire, ici même, au Québec, en France et en Suisse, il n'y a plus eu de catastrophe majeure.

— Vous pensez qu'il se prépare quelque chose du genre ?

— Notre rôle n'est pas de penser, mais de recueillir des renseignements et de les acheminer aux autorités compétentes. Le problème, dans le cas de l'Arche, c'est qu'elle ne se trouve sur le territoire d'aucun État ; nous devons donc intervenir d'une manière inhabituelle.

— Mais pourquoi intervenir ?

— J'y arrive. Certains faits récents reliés à l'Arche sont de nature tout à fait inquiétante. Vois plutôt.

Lex Coupal se tourne vers le petit frisé à lunettes. Un visage apparaît à l'ordinateur, celui d'une belle femme dans la trentaine, à la chevelure rousse bouclée, aux yeux vert bouteille accentués par la pâleur de son teint et des cernes.

Sarah Stein

née en 1967

docteur en physique

responsable du programme de recherche sur l'utilisation des champs magnétiques au MIT.

— Tu la connais ?

— De réputation. Ses recherches sont relatées dans les revues scientifiques.

— En effet. Peut-être as-tu remarqué qu'on ne parle plus d'elle depuis près d'un an ?

— Maintenant que vous me le dites... mais le magnétisme, ce n'est pas mon domaine, vous savez... Je n'y connais rien !

— Ce n'est pas pour ça que nous avons besoin de toi. Sarah Stein a quitté le MIT en septembre 2029, sans aucun préavis, pour...

— ....pour adhérer à l'Arche du millénaire !

— Juste ! Et depuis, on a remarqué beaucoup de mouvement.

Revenant à l'ordinateur, un film montre des personnes toutes vêtues de vert s'affairant à la construction dans la mer d'une sorte de pipeline.

— Les satellites espions sont devenus incroyablement efficaces, remarque Lex Coupal. Depuis l'arrivée de Sarah Stein, l'Arche a entrepris la construction d'un étrange anneau autour de l'île. Ces travaux nécessitent l'importation d'une quantité considérable de matériaux. Tout se passe comme si l'Arche se préparait à soutenir un long siège. Plus inquiétant encore, il semble que l'Arche ait obtenu de l'uranium sur le marché noir.

— La bombe atomique ?

— Peut-être, mais on ne voit pas très bien ce qu'elle pourrait en faire... à part du chantage. Nous croyons plutôt que les adeptes sont en train de fabriquer un réacteur pour s'assurer d'un approvisionnement énergétique continu.

— En tout cas, ils préparent quelque chose. Mais quoi ?

— C'est pour trouver la réponse à cette question que nous avons besoin de toi, Olivier.

— Je ne vois pas comment...

— Regarde plutôt ceci.

L'ordinateur affiche une coupure de journal.

Organisation en pleine expansion recherche les services d'un/d'une généticien/ne.
Le/la candidat/e devra être en mesure de participer à des recherches avancées dans un laboratoire situé à l'étranger.
Le/la candidat/e devra entrer immédiatement en fonction et abandonner tout contact avec ses proches pendant une période de six mois.

— Cette annonce provient de l'Arche. C'est la première fois qu'ils procèdent ainsi, ce qui dénote une situation d'urgence.

— Je vois. Je suppose que vous voulez que je pose ma candidature.

— Mieux encore, nous avons un plan pour contourner cette annonce. Mais avant d'aller plus loin, il faut que tu sois bien conscient du danger.

— Danger ?

C'est encore l'ordinateur qui prend la vedette. Il parle, photo à l'appui, d'un meurtre macabre survenu en Californie. Cinq corps ont été retrouvés dans une chic résidence de Beverley Hills, criblés de balles et alignés côte à côte. Ces gens fortunés n'avaient pas d'ennemis connus, mais ils étaient sympathisants de l'Arche et s'activaient depuis peu à liquider tous leurs biens !

— Je suis ton père, Olivier. Je n'ai jamais pensé que je te demanderais ça un jour, mais tu es le seul qui puisse nous aider. Il y a d'autres généticiens, bien sûr, on pourrait même en fabriquer un sur mesure, mais nous n'avons pas le temps. Qui plus est, un homme important est de passage à Montréal.

L'ordinateur montre maintenant un homme debout, en train de parler à une femme qu'Olivier croit reconnaître, la femme du nouveau premier ministre du Canada à Ottawa. L'homme porte un habit de soirée, tient une coupe à la main, il est trapu, chauve avec une couronne de cheveux châtains et des lunettes à monture d'acier.

— Voici Giovanni Cacciatore. C'est le responsable de l'approvisionnement et du financement de l'Arche du millénaire. Il est à Montréal jusqu'à ce soir, il prend le vol de 23 h, direction Paris. Si tu acceptes de nous aider, tu seras dans le même avion, assis juste à côté de lui.

— Hein ! Ce soir ?

— Je comprends ta réaction. Les faits sont pourtant exactement tels que nous te les avons exposés. Accepter cette mission signifie pour toi un changement radical dans ta vie. J'ai été placé dans la même situation il y a une trentaine d'années, et tu sais ce qui est arrivé. Je ne m'en plains pas, mais je ne veux surtout pas que tu sois influencé. Sois sûr que si tu refuses, rien ne changera entre nous. Ton père et l'agent spécial de l'ANGE, tu dois les voir comme deux personnes différentes réunies en une seule, mais pour aujourd'hui seulement. Moi-même, si j'avais laissé parler le père en moi, je ne serais jamais venu te voir, mais l'ANGE a besoin d'une personne exactement comme toi, et il n'y en a pas d'autre. Si tu veux, nous pouvons te laisser réfléchir une demi-heure. C'est ridicule comme délai, mais dans le cas d'un refus, il nous faudra chercher autre chose...

À ce moment, la porte du bureau s'ouvre, le professeur Séquent a retrouvé toute sa superbe :

— Messieurs, je DOIS récupérer MON bureau.

— Nous n'avons pas terminé, professeur.

— Mais je suis chez MOI, ici, MONSIEUR !...

— Coupal, Lex Coupal, agent spécial de l'ANGE.

— Eh bien, monsieur l'ANGE, nous avons du TRAVAIL !...

— Le travail peut souffrir un retard de quelques minutes, professeur. S'il vous plaît, laissez-nous.

Le professeur fixe de grands yeux outrés sur Olivier, car c'est bien lui qui vient de lui parler sur ce ton, un ton que jamais, de toute sa carrière, un subalterne n'a osé employer avec lui. On croit un instant qu'il va sauter à la gorge du jeune homme et entreprendre de l'étrangler sadiquement, mais il choisit plutôt de lever le nez et de quitter encore une fois la pièce. Olivier vient de comprendre qu'il va accepter la mission.

— Qu'est-ce que je devrai faire au juste ?

— C'est aussi compliqué que simple. D'abord, te rendre dans l'Arche, et sur place, trouver ce qui s'y trame et nous le faire savoir le plus vite possible. On t'expliquera le plan plus en détail et on te fournira quelques outils indispensables. Devons-nous comprendre que tu acceptes ?

Olivier garde le silence pendant quelques secondes, regardant son père dans les yeux, puis dit :

— Je pense que je ne pourrais pas vivre le reste de ma vie en me rappelant que j'ai refusé quelque chose d'aussi extraordinaire.

Lex Coupal sourit. C'était exactement le raisonnement qu'il avait fait une trentaine d'années plus tôt, alors qu'en pleine guerre, il avait accepté sa première mission.

À ce moment, le troisième homme, qui ressemble à un directeur d'école, et qui n'a pas encore prononcé un mot, s'adresse à Olivier :

— Je vais vous demander de signer quelques documents. Pas besoin de vous dire que l'ANGE pourra nier toute relation entre elle et vous en cas de coup dur. Aussitôt que vous aurez signé, 600 000 $ américains seront versés dans un compte suisse que nous ouvrirons pour vous, plus 6000 $ par jour que durera la mission, payables à la fin, plus une gratification pouvant atteindre encore 600 000 $ si les résultats sont satisfaisants. Une prime de dix millions de dollars est prévue au cas où vous en sortiriez invalide, et sera versée à vos héritiers, ainsi que l'ensemble de votre salaire, en cas de décès. Ce sont des conditions non négociables, mais j'espère qu'elles vous conviennent. Toutes les dépenses sont évidemment remboursées. Nous vous implanterons une puce de crédit avant votre départ.

Olivier signe et donne même ses empreintes digitales. Quand tout est terminé, l'homme lui tend la main.

— Bienvenue parmi nous, monsieur Morier. Vous êtes désormais accrédité à titre d'agent officiel et secret de l'ANGE.

— Eh bien, on peut dire que vous ne perdez pas de temps !

— Nous n'en avons pas le droit.

— Voilà, de conclure Lex Coupal, c'en est fait des formalités. Maintenant, tu vas suivre monsieur Spink – l'homme à l'ordinateur – qui va t'équiper comme un véritable espion.

— Tout de suite, comme ça ? Est-ce que tu as parlé à maman ?

— Je vais le faire... dit Lex Coupal, non sans penser qu'il s'agira de la mission la plus délicate de sa longue carrière.

— Et mes affaires, ici, au labo, mes recherches... Le professeur...

— Celui-là, c'est moi qui m'en charge, dit l'homme aux signatures.

Déjà, monsieur Spink entraîne Olivier. Lex Coupal le retient un instant.

— Je serai toujours en contact avec toi, Olivier. Tu n'es pas absolument seul dans cette mission. De mon côté, je dois essayer d'éclaircir les événements qui se sont produits à l'extérieur de l'Arche. Fais bien attention de ne pas te laisser embobiner. Vu d'ici, prédire la fin du monde pour l'an 2031 semble tout à fait ridicule, mais sur place, entouré de gens qui y croient, tu verras que ça prend une toute autre allure. N'oublie jamais non plus que tu seras là pour fournir des renseignements, pas pour jouer les héros. Je ne te cache pas que j'ai peur. Tu n'as aucune expérience, et te voilà plongé dans une mission très complexe. J'ai quand même confiance en même temps, car tu possèdes une intelligence supérieure. Va, maintenant.

Olivier amorce un mouvement de départ, mais se ravise et tend les bras à son père qui l'accueille pour une longue accolade, la première de leur vie. L'émotion est palpable, mais monsieur Spink et l'autre ne semblent absolument rien ressentir.

La porte s'ouvre. Le professeur – celui qui parle en majuscules – est là, debout, visiblement au bord de la crise de nerfs. Olivier lui tend la main.

— Au revoir, professeur Séquent. J'ai beaucoup appris en travaillant avec vous et j'espère pouvoir le faire à nouveau.

— Mais qu'est-ce que cette histoire ? Docteur Morier, vous ne pouvez PAS nous quitter comme CELA, je porterai PLAINTE, je...

— Professeur Séquent, interrompt l'homme aux signatures, je vais vous expliquer...

Le temps pour le professeur de se retourner vers son interlocuteur, les autres ont quitté la pièce.

— Mais qu'est-ce que c'est que CES manières ?

— Calmez-vous, professeur, et dites-moi plutôt, n'est-il pas vrai que vous avez demandé une subvention de dix millions de dollars à votre gouvernement ?

— En EFFET... répond le professeur, tout à coup fort intéressé.

— ...et que vous n'en avez obtenu que la moitié ?

— HÉLAS !

— ... peut-être pouvons-nous vous aider à combler ce manque à gagner...

— VRAIMENT ! s'exclame le professeur dont les yeux brillent maintenant comme ceux d'un enfant devant une douzaine de beignes au chocolat.

Chapitre 2

Dix minutes plus tard, à l'aéroport de Dorval, une femme se présente au comptoir d'Air Europe.

— Je voudrais deux places sur le vol de 23 h pour Paris.

— Hélas ! Madame, je crains que ce ne soit pas possible. En cette période de l'année, toutes les places sont réservées, répond la préposée.

— Pourriez-vous vérifier s'il n'y aurait pas eu d'annulation...

— Il n'y en avait pas aux dernières nouvelles, mais je vais regarder encore... Eh bien, vous avez de la chance ! Deux places viennent tout juste de se libérer.

Quelques minutes après, la femme qui ne ressemble tellement à rien que c'en est remarquable, assise à l'écart dans le bar de l'aéroport devant un petit verre d'un liquide rouge, compose un numéro sur un portable. Elle attend un moment, puis prononce une seule phrase :

— Ici, poteau 12-14. Sujet, opération Noé. La phase billets est terminée avec succès. J'attends les instructions.

Et elle raccroche sans se demander comment l'ANGE a pu obtenir que les places désirées se libèrent.

***

Pendant ce temps, à quelques kilomètres de l'aéroport, Muriel Morier vient de rentrer chez elle. La journée n'a pas été trop dure. Rien que des banalités, deux chattes stérilisées et une série d'examens annuels avec vaccins, mais elle est tout de même contente de rentrer. Elle s'est arrêtée à l'épicerie et a acheté des fèves germées et du tofu, pour un *chop suey* à sa manière. C'est le mets préféré d'Olivier. Il devrait rentrer bientôt si son exécrable patron ne le retient pas.

Elle est un peu inquiète pour son fils. Fière, sans doute, mais inquiète. Elle se demande souvent si elle n'aurait pas dû mettre la pédale douce aux études afin de permettre à Olivier d'avoir une enfance normale. Par contre, elle sait bien que l'intelligence est une chose qu'on ne peut contenir et qui doit forcément s'exprimer dans un sens, bon ou mauvais. Il n'y avait pas moyen de faire autrement, se dit-elle pour se rassurer. Et Olivier ne se plaignait jamais, au contraire. Cela ne le gênait pas du tout d'entrer dans des salles de cours remplies d'étudiants de cinq à dix ans plus âgés que lui. Il avait un « front de bœuf », comme disait son grand-père. Mais il a maintenant vingt et un ans, et elle le sent préoccupé. Il est vrai que son milieu de travail y est pour beaucoup. Aucun doute, il faut que le professeur Séquent change d'attitude, ou alors elle encouragera Olivier à le quitter. Aussi simple que cela.

De sa cuisine où elle s'occupe à bien rincer les fèves, elle contemple le Saint-Laurent que les glaces commencent à couvrir comme pour le protéger des vents de l'hiver. Elle adore son appartement d'Habitat 67. Olivier aussi. On sonne. C'est sûrement lui, il aura oublié sa clef. Elle appuie sur l'ouvre-porte automatique et retourne à la cuisine. Deux minutes après, on frappe. Elle est tellement certaine que c'est son fils qu'elle ne prend même pas la peine de regarder par le judas optique et elle ouvre.

— Lex !

Elle regarde l'homme de sa vie avec des yeux qui n'y croient pas. C'est bien la première fois qu'il lui fait ce genre de surprise.

— Bonjour, Muriel, comment vas-tu ? On ne s'embrasse pas ?

— Bien sûr que si !

Et un long, un vrai long baiser d'amour s'ensuit.

Muriel et Lex s'aiment depuis la première fois qu'ils se sont vus, en 2006. L'ANGE avait eu vent d'un complot pour assassiner le premier ministre du Québec et avait chargé Lex Coupal, qui parlait déjà un excellent français, d'empêcher que cela se produise. Muriel, qui venait de terminer ses études en médecine vétérinaire, avait milité très activement dans la circonscription du premier ministre. Les comploteurs avaient l'intention de se glisser au cours d'une réception donnée par le chef du gouvernement pour remercier les militants de sa circonscription, réception qui était organisée par Muriel. Elle ne devait jamais oublier la voix si profonde et les yeux fascinants de ce jeune Américain vivant au Québec venu lui expliquer qu'elle devait par tous les moyens empêcher le premier ministre d'approcher de la salle tant et aussi longtemps que lui-même ne lui aurait pas donné le feu vert. Il n'avait pour la convaincre que sa carte d'une organisation dont elle ne connaissait pas encore l'existence, et son incroyable capacité d'inspirer confiance.

Lui aussi fut conquis par cette petite femme si douce. Même les chiens les plus féroces se laissent caresser comme des toutous en peluche quand elle leur susurre des mots tendres, conquis par ces yeux noisette d'une intelligence perçante, des yeux qui font tout de suite comprendre qu'il est inutile d'essayer de mentir, ou même de maquiller la vérité, des yeux qui, malgré la gravité de la situation d'alors, n'avaient pas bronché.

L'attentat fut déjoué. Lex avait tenu à revoir Muriel avant de repartir, et avait souhaité une éventuelle visite quand les aléas du métier le lui permettraient. Elle avait accepté.

Un an plus tard, elle reçut une invitation au restaurant tournant du Grand Hôtel. Ils avaient parlé toute la soirée devant les lumières de Montréal qui dansaient autour d'eux.

— Je t'aime, Muriel, comme je n'ai jamais aimé personne, mais je n'ai rien à t'offrir de ce qu'une femme comme toi est en droit de s'attendre. Tu connais mon métier. Je ne le fais pas seulement par goût de l'aventure, mais parce que je crois que, parfois, je peux épargner d'énormes souffrances à l'humanité. Je ne peux pas y renoncer.

— Qui te le demande ? avait répondu Muriel. Moi aussi, je t'aime. Les vétérinaires sont peu appelés à voyager. Tu sauras toujours où me trouver.

— Mais ce n'est pas une vie que d'attendre toujours l'homme qu'on aime.

— Ne t'en fais pas pour moi, je ne suis pas le genre de personne à attendre. Je fais ma vie, et si jamais notre relation ne me convient plus, je mettrai ma casquette. Et tu mettras la tienne si c'est toi qui changes le premier !...

« Mettre sa casquette » est tirée d'une chanson de Félix Leclerc qui signifie faire signe à l'autre que c'est terminé.

Ils avaient quitté le restaurant pour la chambre de Lex où ils avaient passé la nuit. Deux ans plus tard, dans des circonstances semblables, Muriel avait demandé à Lex de lui faire un enfant. C'est ainsi qu'Olivier était né, officiellement de père inconnu.

Lex se dégage doucement du baiser. Déjà, Muriel sent que quelque chose ne va pas.

— Qu'est-ce qui t'amène ici, comme ça, sans prévenir ? demande Muriel. C'est Olivier qui va être content de te voir ; il devrait arriver dans moins d'une demi-heure.

En disant cela, une inquiétude sourd en elle, et ses impressions ne la trompent jamais.

— Justement, c'est à propos d'Olivier.

— Olivier ? Qu'est-ce qui lui est arrivé ?

— Oh ! Il va bien...

— Tu es venu pour lui parler ?

— Non, c'est déjà fait...

— Lex ! Ne me dis pas que...

— ...il le fallait, Muriel...

Ils passent dans le salon et Muriel tombe assise sur le canapé de cuir vert, les yeux dans le vide. Dans un aquarium géant, des dizaines de poissons multicolores vaquent à leurs occupations dans la plus superbe indifférence. Devant la vaste fenêtre, dans leur cage, les oiseaux se balancent avec un air perplexe.

— Tu l'as recruté ! Tu as fait cela ?

— Je t'assure que je ne pouvais pas ne pas le lui proposer. Ce n'est même pas moi qui l'ai suggéré à l'organisation ; le service l'avait déjà identifié comme agent potentiel.

— Lex, ne me mens pas en plus, je t'en prie !

— Bon, disons que je déforme un peu les faits, mais je veux dire que je ne l'ai pas recruté parce qu'il est mon fils, mais parce qu'il correspond parfaitement au profil souhaité. En plus, il n'y a vraiment personne d'autre, explique Lex avec une maladresse qui contraste avec son assurance habituelle. Je t'assure que je n'ai rien fait pour influencer sa décision, d'ailleurs, il te le dira lui-même quand il reviendra.

— Il ne devrait pas tarder...

— Muriel...

— Quoi encore ?

— C'est... qu'il ne reviendra pas aujour-d'hui...

— Quoi ! Tu veux dire qu'il est déjà en mission !

— Oui. C'était vraiment une urgence.

— Mais où ? Qu'est-ce que c'est que cette mission ?

— Mon amour, tu sais bien que je n'ai absolument pas le droit de te le dire.

— Mon amour ! ! ! s'exclame Muriel sur un ton qui mêlent l'ironie et la colère, c'est tellement facile à dire... Tu m'enlèves mon fils et tu crois que tu vas me consoler avec des mots doux ? Tu penses que c'est si simple ?

Muriel est bouleversée, ses yeux débordent de larmes et sa gorge lui fait mal. Elle a l'impression que le monde entier vient de tourner à l'envers, qu'un grand trou s'est ouvert devant elle et que sa vie y est aspirée.

— Muriel, je te répète que c'est sa décision à lui.

— Mais si tu ne lui avais rien proposé, il n'aurait rien décidé, n'est-ce pas, Monsieur l'agent de l'ANGE ?

— Je ne pouvais pas ne pas le faire.

— Tu ne le pouvais pas, tu ne pouvais pas... Eh bien ! je vais te dire une autre chose que tu ne peux pas...

Muriel se lève d'un bond et se dirige vers la porte qu'elle ouvre vivement.

— Tu ne peux pas revenir ici sans Olivier, c'est clair ? Reviens avec mon fils, ou bien ne reviens jamais !

Lex se retrouve dans le couloir. Par une grande vitre, il voit Montréal qui s'allume dans le soleil pressé de se coucher. Jamais de sa vie, il n'a eu autant envie de ne plus être agent secret, d'envoyer promener le monde entier, de rattraper son fils et de le ramener ici même pour vivre avec lui et Muriel jusqu'à la fin des temps. *What a life !* pense-t-il en américain, et il se dirige vers l'ascenseur. Lui aussi doit prendre un avion.

De son côté de la porte inexorablement fermée, Muriel s'en est allée pleurer sur son lit, chose qu'elle n'a à peu près jamais faite. Mais il y a des limites !... Elle sait bien que son fils n'est pas sa propriété, qu'il est une personne différente d'elle-même, qu'il doit voler de ses propres ailes, elle le sait, mais la vie aurait pu lui laisser le temps de se préparer un peu, non ?

Elle pleure un long moment, puis le téléphone sonne. Elle ne veut parler à personne. Si c'est Lex, elle n'a plus rien à lui dire. Le téléphone insiste. Dix coups, douze... Quel obstiné ! Au vingtième coup, elle va arracher le fil, mais se retient, et si... ? Elle décroche.

— Maman ?

— ...

— Maman, c'est Olivier.

Et qui d'autre l'appellerait maman ?

— Olivier, mon chéri, où es-tu ?

— Maman, tu pleures ?

— ...

— Papa est passé te voir, hein ?

— Oui. Mais où es-tu ?

— Je suis encore à Montréal, maman, mais je ne peux pas t'en dire plus, parce que...

— Oh ! fais-moi grâce de cette maudite consigne, je la connais par cœur. Ça fait assez longtemps que je l'endure...

— Je ne pouvais pas partir sans te parler. Je t'aime, maman.

— Moi aussi, je t'aime, Olivier.

— Tu sais bien que si j'ai accepté, ce n'est absolument pas parce que j'avais envie de me séparer de toi.

— Non, bien sûr, je n'ai jamais pensé ça, mais c'est dur à vivre. Ça va passer, mon grand.

— C'est bien tombé pour moi, il fallait que je sorte du laboratoire, de l'université...

— Je le sais, Olivier, que tu avais besoin de changement, mais de là à partir comme ton père...

— Mais c'est une chance extraordinaire de vivre quelque chose de tout à fait différent, et en plus, c'est utile.

— Je suppose que tu as de qui tenir... Promets-moi d'être très prudent.

— Je te le promets, mais je ne pense pas qu'il y ait tellement de danger, ne t'en fais pas...

— Il y a toujours du danger, Olivier, sinon il n'y aurait pas tant de secrets.

— Je te le promets. De toute façon, tu sais bien que je ne suis pas James Bond, hein. Je vais me servir de ma tête, pas de mes poings.

— Toi, je le sais bien, mais il y a les autres.

— Ne t'en fais pas trop quand même. Je vais penser à toi à chaque instant.

— Ne dis pas de sottises. Il vaut mieux que tu penses à toi et que tu me reviennes le plus vite possible, en un morceau...

— Bon... il faut que je te laisse... Je t'embrasse, maman.

— Je t'embrasse aussi, et tu peux être sûr que je vais penser à toi constamment.

— Ne néglige pas tes animaux, quand même... Au revoir !
— Reviens vite !

Chapitre 3

Olivier prend le temps de respirer, même si l'avion doit décoller d'un instant à l'autre. La plupart des voyageurs s'apprêtent à se payer un roupillon, mais il n'en est pas question pour lui, même s'il est fatigué. Quelle journée ! D'abord la visite de son père, le matin, plutôt exigeante sur le plan émotif. Ensuite, monsieur Spink l'a entraîné dans une cavalcade de préparatifs. Il n'en revient pas encore de ce que l'ANGE possède comme ramifications dans une ville comme Montréal, lui qui l'avait toujours trouvée bien tranquille. Il a essayé d'imaginer Singapour !

D'abord, ils se sont retrouvés dans un atelier de vêtements. En moins d'une heure, on lui avait confectionné une garde-robe complète.

« Ces vêtements sont étanches, a expliqué monsieur Spink. Les chemises, en plus, contiennent une fibre spéciale. En arrachant un bouton, on déclenche une réaction qui dégage assez de chaleur pour prévenir l'hypothermie pendant une heure. Vous allez dans le Sud, bien sûr, mais on ne sait jamais...

« Tous vos sous-vêtements sont mangeables, cuits de préférence, sinon il vous faudra beaucoup mâcher. Ils contiennent 350 calories et 30 grammes de protéines pour 100 grammes de tissu, plus l'apport quotidien recommandé par le guide alimentaire américain en vitamines et en sels minéraux. Ne les lavez qu'à l'eau froide, sinon vous allez les retrouver en gruau. De toute façon, on vous en a mis autant qu'il était possible sans vous faire passer pour un maniaque. Les coutures intérieures des jambes de vos jeans cachent vingt mètres de fine corde assez résistante pour tirer une voiture.

« Ce blouson, en plus des caractéristiques déjà énumérées, peut servir à éclairer ; vous défaites simplement la doublure, et toute la surface cachée du vêtement se met à luire comme la vitrine d'une salle d'exposition... mais ça ne fonctionne qu'une seule fois, de six à huit heures tout de même... »

Monsieur Spink s'exprimait avec autant de passion que la voix synthétique de son ordinateur. D'un côté, c'était quelque peu intimidant, mais de l'autre, cette apparente indifférence rassurait Olivier. Après la description des quelques autres merveilles vestimentaires, ils tirèrent leur révérence.

— Au plaisir de vous revoir, Messieurs ! dit avec un horrible accent un vieux bonhomme qui avait pris les mensurations d'Olivier. Et n'oubliez pas, grands et petits, espions et bandits, chez Visconti, c'est garanti !

Et il rit de bon cœur.

— Je ne suis pas sûr qu'il vaille très cher pour le secret celui-là, dit monsieur Spink, mais il ne sait rien. Nous en avons comme ça partout dans le monde, que nous partageons avec d'autres organisations et des gouvernements.

— Est-ce que je garde mes vieux baskets ? avait demandé Olivier.

— Vous n'y pensez-pas ? dit monsieur Spink en jetant un œil dédaigneux sur les espadrilles élimées du jeune homme. Pour les accessoires, nous allons ailleurs.

Ils se rendirent dans un vaste atelier ultramoderne installé dans un parc industriel.

Les nouvelles chaussures d'Olivier n'ont apparemment rien d'extraordinaire. Ce sont des Mik'Air, haut de gamme, sauf que, lui avait expliqué son cicérone, les semelles ne contiennent pas d'air, mais du givron, un gaz nouvellement découvert.

— Il suffit de coller les talons et de claquer fort pour que, après un délai de trois secondes, le givron contenu dans les semelles soit expulsé vers l'arrière. La beauté du givron, c'est que quelques molécules suffisent à endormir la plus grosse brute comme un bébé gavé de lait. Le simple contact avec la peau provoque un engourdissement généralisé. Évidemment, si vous déclenchez le mécanisme, tout ce qui bouge derrière vous tombera dans le coma. Mais vous, fermez les yeux, retenez votre souffle et foncez ! Le gaz se dissipe en moins d'une minute et il faut deux bonnes heures pour que son effet sur l'organisme disparaisse complètement. Le givron ne laisse aucune séquelle, alors ne vous gênez surtout pas !

Olivier avait ensuite reçu :

- une ceinture formée de deux lanières collées l'une sur l'autre qui cachent une vingtaine de pièces à partir desquelles on peut assembler une panoplie d'outils, tourne-vis, clefs hexagonales, et cetera... la grosse boucle de la ceinture servant de poignée ;

- une montre d'apparence ordinaire qui donne l'heure, les dates, sert de chrono-

mètre, d'altimètre, indique la position géo-
graphique (latitude et longitude à la seconde près) et bien d'autres choses encore,
étanche et antichoc, cela va de soi. Le seul
détail vraiment remarquable, en fait, c'est
qu'elle est explosive. C'est une petite bombe
assez puissante pour faire sauter une porte,
par exemple ;

- un stylo à bille qui tire des balles du
calibre d'une bille de stylo, qui explosent
dans l'organisme pour libérer un redoutable
poison. La portée en est limitée et l'effet du
poison dépend de la partie du corps atteinte,
mais cela vous neutralise un adversaire pour
au moins une semaine. Et, bien sûr, ce stylo
sert aussi à écrire.

— Voilà, en gros, tout ce qu'il vous faut,
côté matériel. Ah ! mais j'allais oublier :
qu'est-ce qu'un garçon de votre âge et de
votre condition doit toujours emporter en
voyage ?

— Euh... sa brosse à dents ?

— Bien sûr, c'est prévu, elle sert d'ailleurs aussi à percer. Vous ferez attention,
mais je pensais à quelque chose qui s'a-
dresse spécifiquement à un jeune homme...

— ... ?

— Vous ne voyez pas ? Des préservatifs,
dit-il en éclatant d'un rire tendancieux. En

voici des rouges et des blancs. Les blancs sont pour un usage ordinaire. Les rouges, par contre, outre qu'ils sont parfumés à la cerise, sont lubrifiés avec une crème tout à fait spéciale qui contient, entre autres, du givron... L'effet est formidable. Quelques secondes après que vous aurez... euh... commencé, votre partenaire sera gagnée par une ivresse hallucinante, et en moins d'une minute, malheureusement pour elle, elle tombera dans les pommes et dormira au moins dix heures d'affilée ! Et faites attention en l'installant de ne pas vous gommer, sinon vous risqueriez de vous endormir avant elle, ce qu'elle n'apprécierait peut-être pas, ou peut-être trop !

Et monsieur Spink découvrit à nouveau ses petites dents jaunes.

— Vous ne croyez tout de même pas que je vais...

— Tss... N'oubliez pas que vous êtes là pour protéger des vies, alors la pudeur, hein... Je vais vous remettre un dernier gadget, dont vous aurez à vous servir presque tous les jours et dont vous devez prendre le plus grand soin.

Ce disant, il lui tendit un livre. C'était un beau livre à reliure rigide, couvert d'un cuir brun verni dont l'usure démontrait qu'il avait été lu et relu cent fois. La couverture était décorée d'une croix dorée. Le titre était gravé sur la tranche, en lettres d'or, la sainte Bible !

— C'est la bible de votre grand-mère, dit monsieur Spink.

— Ce n'est pas possible !

— Bien sûr que non, mais vous serez le seul à le savoir !

Effectivement, à l'intérieur, sur la première page de garde, le nom de sa grand-mère maternelle apparaît, écrit à la main, comme on le faisait autrefois.

— On jurerait que c'est vrai ! s'étonne encore Olivier.

— Plus vous y croirez, plus les autres y croiront. Maintenant, laissez-moi vous présenter son contenu, à part les Saintes Écritures, évidemment.

C'est justement cette bible qu'Olivier tient dans les mains au moment où l'avion décolle. L'avion monte encore et penche à droite pour prendre la direction de Paris. Par le hublot, il aperçoit les feux de Montréal qui font une fête à la nuit. D'habitude, il s'arrange pour être assis près du hublot, mais ce siège est occupé par Giovanni Cacciatore. L'homme ressemble parfaitement à sa photo et n'a rien pour attirer l'attention. Il se confond à merveille dans la foule des gens d'affaires qui parcourent le monde. Il regarde lui aussi par le hublot, l'œil rêveur et fatigué, la main gauche posée sur une mallette noire dont Olivier aperçoit la chaînette antivol qui grimpe dans la manche.

Le siège de gauche est occupé par une dame qu'Olivier ne connaît pas ; il sait seulement qu'elle est là pour observer comment se passera la première phase de la mission, phase dont le succès est incontournable si Olivier ne veut pas réintégrer piteusement le laboratoire du professeur Séquent dans trois jours. Il sait aussi qu'il peut s'adresser à elle en cas d'extrême urgence, mais elle les quittera à Paris.

— Vous lisez toujours la Bible en avion ? dit une voix avec un chat dans la gorge.

Quelle aubaine ! Olivier n'a pas eu à imaginer de ruse pour engager la conversation avec Giovanni Cacciatore.

— Non. En fait, c'est la première fois que j'ouvre une bible.

— Ah bon ! Je vous demandais cela parce qu'il y a des gens qui ont tellement peur de l'avion qu'ils ne décollent pas de la Bible tout le long du trajet.

— Alors là, si vous voulez mon avis, cela devient une véritable superstition. Je ne crois à aucune superstition.

— Je suis tout à fait de votre avis.

Giovanni Cacciatore parle un français impeccable. En fait, il parle ainsi autant de langues qu'un pape. Monsieur Spink a transmis à Olivier toutes les connaissances de l'organisation sur cet homme. Il sait qu'il a été prêtre catholique, qu'il a quitté cette Église dans des circonstances obscures, alors qu'il était sur le point d'assumer de hautes fonctions administratives à la curie romaine.

— Mais alors, si je peux me permettre une question, pourquoi avoir choisi la Bible comme lecture de voyage ?

— Je cherche, c'est tout ! J'ai hérité cette bible de ma grand-mère, et je l'ai sortie de la poussière.

— Je m'étonne que vous n'ayez pas étudié la Bible, car, sauf erreur, vous me semblez un jeune homme instruit.

— Mes parents étaient en rupture avec la religion, si l'on peut dire, et ils ne m'ont jamais fait baptiser. À l'école, pendant les cours de religion, j'allais à la bibliothèque.

— Cela ne vous a pas traumatisé ?

— Pas du tout. J'ai toujours adoré lire, surtout les ouvrages scientifiques.

Giovanni Cacciatore semble accrocher à cette dernière information. Après la séance de gadgets, en après-midi, Olivier avait rencontré un vieil espion qui lui avait quelque peu expliqué l'art d'aller à la pêche. Choisir l'appât, le placer bien en vue, laisser le poisson approcher, flairer, goûter tant qu'il veut, et ne jamais donner de secousses...Ici, c'est une pêche bien spéciale, une pêche au requin. Il ne faut pas sortir le poisson de l'eau, mais plonger à sa poursuite...

— Et à quel genre d'études ces lectures vous ont-elles mené ?

— Je suis docteur en génétique.

— Vraiment ! s'étonne Giovanni Cacciatore, dont les yeux se mettent à briller d'intérêt. Vous me semblez bien jeune pour un tel titre.

— Oh ! mais j'ai vingt et un ans ! objecte Olivier. En effet, vous avez raison, je suis en avance sur mon âge. J'ai été ce qu'on appelle un enfant prodige.

Il prononce cette dernière phrase en laissant échapper un faux soupir dont il est assez satisfait.

— Cela n'a pas l'air de vous rendre tellement heureux.

— C'est super. Je travaille avec des gens tellement intelligents !...

— Mais ? Il y a un mais, n'est-ce pas ?

— Oui. J'ai l'impression d'avoir manqué quelque chose.

— Et vous cherchez ce quelque chose dans la Bible... à moins que vous n'espériez le trouver à Paris...

— Vous êtes perspicace, vous... Je ne sais pas ce que je cherche ni où je dois chercher, mais il fallait que je change d'air.

— La Bible est un grand livre, mais ce n'est pas un livre magique. Vous y apprendrez beaucoup, mais je doute que cela puisse satisfaire une intelligence comme la vôtre. En fait, j'ai l'impression que vous cherchez un sens à votre vie, comme des millions de gens. J'ai moi-même été prêtre, vous savez, et je connais la Bible. On ne peut vraiment utiliser son enseignement que dans la mesure où on le place en perspective avec des enseignements plus anciens, provenant d'autres civilisations.

— Vous m'intéressez, dit Olivier en souriant, mais nous ne nous sommes pas présentés. Je m'appelle Olivier Morier. Vous êtes... ?

— Giovanni Cacciatore. Vous permettez que je note votre nom ? C'est une vieille habitude.

Ce disant, l'homme ouvre sa mallette, puis un petit ordinateur.

— Me diriez-vous où je pourrais vous joindre ?

— Dans le réseau des universités québécoises.

— Parfait ! dit Cacciatore en tapant sur le clavier.

Il en profite pour envoyer discrètement un message à l'Arche.

— Et que faites-vous maintenant, Monsieur Cacciatore, sur le plan professionnel ?

— Je m'occupe de finance. Pour tout vous dire, je suis chargé de toutes les opérations financières de l'Arche du millénaire. Vous connaissez ?

— Il me semble en avoir déjà entendu parler. Ce ne serait pas une sorte de nouvelle religion ?

— Non, pas vraiment. L'Arche n'est pas une religion, bien que le fondement de notre démarche soit spirituel. Vous n'avez pas encore lu la Bible, mais vous connaissez sûrement l'histoire de Noé ?

— Bien sûr. C'est un vieux bonhomme qui a sauvé les animaux du déluge.

— En bref, oui. Dieu avait prévenu Noé de son projet d'inonder la Terre, parce qu'Il était mécontent de la manière de vivre des hommes. Il lui a ordonné de construire un bateau assez grand pour abriter un couple de chaque espèce animale. Le monde fut noyé, mais grâce à Noé, la vie put reprendre sa place.

— C'est une belle histoire, mais vous savez bien que ça n'a pas de bon sens. Comment peut-on imaginer embarquer tous les animaux de la Terre sur un seul bateau ?

— Vous avez raison. Ce qu'il faut en retenir, c'est que le monde a été détruit, à l'exception d'un petit groupe d'humains particulièrement éclairés.

— Je vois.

— Savez-vous que la civilisation grecque est née en quelque sorte de la même manière ? Entre 1200 et 750 avant Jésus-Christ, les Doriens, des barbares, ont envahi le monde grec et détruit des civilisations extraordinaires. Tous les fruits de ces civilisations auraient pu disparaître, mais la ville d'Athènes, établie sur une forteresse naturelle, a pu repousser les Doriens et est devenue une sorte de refuge. Puis l'Empire romain, après quelque mille ans d'existence, à son tour a été détruit par les barbares. Or, si nous connaissons si bien l'histoire de la Rome antique, n'est-ce pas parce que des moines, isolés dans des forteresses imprenables, ont préservé de nombreux trésors intellectuels ? Si vous prenez le temps d'étudier l'histoire du monde en profondeur, vous verrez que des arches, sous différentes formes, il y en a eu des dizaines, sinon davantage. Les civilisations croissent et s'écroulent, mais l'essentiel est toujours préservé par une minorité d'individus éclairés.

— Si je vous suis bien, je suppose que vous allez me dire que notre civilisation est sur le point d'être détruite...

— ... ou de se détruire elle-même. Mais d'abord, on a remarqué deux choses. Primo, ce jeu de croissance et de destruction des civilisations se déroule toujours en fonction de cycles d'à peu près mille ans. Or, on peut dire que notre civilisation a commencé vers l'an mille, soit au milieu du Moyen Âge, quand sont apparues les grandes villes européennes. Secundo, les civilisations sont de plus en plus grosses. En fait, pouvez-vous imaginer qu'il existera un jour sur le globe une civilisation plus puissante que la civilisation américaine ? En écrasant l'armée de Saddam Hussein, en 1991, les Américains ont montré qu'ils étaient les maîtres du monde, et cela ne s'est pas démenti depuis.

— Alors, qui peut détruire la civilisation américaine ?

— Les Américains ne seront pas détruits par un ennemi extérieur, c'est sûr. Mais regardez le monde à l'américaine... croyez-vous que le Dieu qui a fait le déluge soit tellement satisfait de ce qu'il voit ?

— Il va nous envoyer une catastrophe ?

— Ce n'est pas impossible. Nous croyons plutôt que la destruction sera l'œuvre de groupes fanatiques et de politiciens irresponsables. Le problème de cette civilisation, c'est qu'elle a fabriqué assez d'armements pour se détruire dix fois. Or, les criminels ont formé des organisations hyper puissantes. Imaginez qu'elles décident d'utiliser des armes de destruction massive !

— Je vois le tableau...

— À peine, car l'histoire nous enseigne que plus les civilisations sont dominantes, plus leur destruction est terrible et durable.

Giovanni Cacciatore parle avec conviction. Olivier fait tout pour donner l'impression de se laisser gagner, mais il trouve tout ce discours remarquablement simpliste et fondé sur une quantité énorme de suppositions qu'il aimerait vérifier. Il remarque que Cacciatore n'a pas dit un mot de Maneïdhou. C'est que le poisson se croit lui-même à la pêche, et Cacciatore devine que l'arrivée d'un gourou dans le paysage risquerait de choquer l'intelligence d'Olivier.

— Les gens qui vivent dans l'Arche, ou qui l'appuient de différentes manières, croient qu'il ne faut pas attendre la catastrophe et s'organiser tout de suite pour sauvegarder l'essentiel.

— Cela me semble un œuvre louable.

— Excusez-moi de changer de sujet, mais au fait, pourquoi donc allez-vous à Paris ? Avez-vous l'intention d'y séjourner ?

— Je ne sais pas... Je suis libre comme l'air. Je pars comme un explorateur.

— Dans ce cas, je me permets de vous inviter à passer par l'Arche. Elle est installée sur une île paradisiaque. Cela ne vous engagerait à rien, mais vous pourriez prendre contact de façon plus systématique avec les enseignements qui nourrissent notre projet, et je suis sûr qu'ils pourront vous aider dans votre recherche.

— C'est que mes moyens sont limités ; je comptais surtout voyager en auto-stop...

— Qu'à cela ne tienne, mon ami ! L'Arche tient beaucoup à entrer en contact avec des cerveaux comme le vôtre et je suis en mesure de financer tous vos déplacements. D'ailleurs, mais je crains de m'avancer un peu, je peux vous proposer de venir avec moi. Il me reste quelques capitales à visiter et je dois retourner dans l'Arche entre

Noël et le Nouvel An. Le voyage sera des plus agréables, je vous l'assure.

— Je vais y réfléchir, répond Olivier.

— À la bonne heure !

C'est tout réfléchi, bien sûr. À sa gauche, la dame de l'ANGE se retient de sourire de satisfaction. Le poisson s'est accroché tout seul. Si le jeune espion évite les faux pas, il sera bientôt en mesure de transmettre ses premiers renseignements.

Olivier revient à la lecture de sa bible et bientôt, il s'endort profondément. Constatant cela, Giovanni Cacciatore ouvre sans bruit sa mallette et son petit ordinateur. Il voit sur le minuscule écran qu'il a reçu une réponse. Oui, il existe bien un dénommé Olivier Morier, généticien à l'Université de Montréal. Le service du renseignement de l'Arche n'est pas celui du gouvernement américain, mais il est souvent fort efficace. Cacciatore est cependant stupéfait de la note qui accompagne le renseignement. Il referme la mallette puis tourne le visage du côté du hublot, pour cacher le sourire maléfique qui se dessine sur ses lèvres...

Chapitre 4

Le 27 décembre 2030, au Massachusetts

Ce n'est pas Lex Coupal qui écrirait cinq volumes sur la théorie de l'espionnage. Il est à l'aise en situation, surtout quand la situation se présente à lui par l'intermédiaire de personnes. Déjà tout petit, dans la petite ville de Nouvelle-Angleterre où sa famille avait émigré, il avait compris qu'il possédait ce sixième sens, ce sens sans organe apparent qui lui permettait de toujours savoir si son interlocuteur mentait ou disait la vérité, avait peur ou voulait foncer, etc. Il avait surtout ce pouvoir très rare d'amener l'autre à laisser tomber le masque et à dévoiler son jeu. Mis à nu, le plus violent des hommes devient inoffensif. Lex Coupal aurait pu faire fortune en jouant au poker, mais telle n'était pas sa voie. S'il avait voulu tirer un profit personnel de ses dons, peut-être les aurait-il perdus.

Mais le métier d'espion étant ce qu'il est, il devait parfois affronter des données sè-

64

ches, trouver des traces, des indices dans les objets laissés derrière. Pour se réconforter, il se disait que quelle que soit la passion que l'on éprouve pour une profession, on doit toujours affronter quelques aspects rebutants. Tout le monde aimerait être une vedette du *rock and roll*, mais qui veut chanter mille fois la même chanson ?

C'est le genre de pensées qu'entretient Lex Coupal quand il pénètre dans le bureau déserté de Sarah Stein. Il s'attendait à quelque chose de plus luxueux, mais la savante, aux dires des gens du MIT, n'accordait aucune importance aux apparences. Elle dirigeait toute son énergie vers son travail. Ses collègues parlent tous d'elle à l'imparfait, comme si elle était morte. Pour eux en effet son départ est une sorte de deuil.

Sarah Stein, peu encline à la sociabilité, n'avait pas d'ami déclaré, ni d'un sexe ni de l'autre, mais on ne lui connaissait pas non plus d'ennemi. On aurait pu être jaloux de ses succès, mais elle n'en faisait jamais état.

— Modestie ? demande Lex Coupal.

— Pas vraiment, répond le docteur Jeremia Kentucky, un grand homme noir avec une couronne de frisons blancs, qui était en quelque sorte le supérieur immédiat de l'illustre savante. Humilité, plutôt, celle que contractent les vrais savants qui sont chaque jour confrontés à l'infini de leur ignorance. Sarah Stein était ce que j'appelle « une sainte de la science ».

— Savez-vous si elle était croyante ?

— Elle était juive, mais je ne saurais vous dire si elle pratiquait sa religion. En tout cas, elle ne s'absentait jamais lors des fêtes religieuses.

— Pourquoi pensez-vous qu'elle vous a quittés ?

— Je ne vois que la dépression pour expliquer son comportement...

— Elle avait l'air déprimé ?

— Pas vraiment, mais peut-être un peu. Vous savez, après ce genre d'événement, on se pose toujours des questions et on cherche des indices à rebours. Tout cela, fait de mémoire, vaut-il quelque chose ?... En parlant entre nous, nous avons fini par constater qu'elle semblait préoccupée... mais ce n'était pas évident. En tout cas, l'annonce de son départ a eu l'effet d'une bombe.

— Quelles raisons a-t-elle évoquées ?

— Des raisons personnelles, sans détails.

Lex Coupal laisse courir ses doigts sur le bois du bureau vide. Rien n'a été touché, comme si l'on espérait encore qu'elle revienne. Elle a tout rangé ou tout emporté, sauf un cendrier encore souillé de cendres vieillies. Sarah Stein fumait beaucoup, elle se souciait donc peu de sa santé.

Lex Coupal ouvre le tiroir d'un classeur rempli de dossiers. Jeremia Kentucky explique que Sarah Stein étudiait la force magnétique et qu'elle conservait des copies papier de tous ses travaux. Elle était particulièrement consciente de la fragilité des documents électroniques. Chaque dossier contient des schémas auxquels Lex Coupal ne comprend absolument rien.

— Pourriez-vous m'expliquer en quelques mots le sens général de ses recherches ?

— C'est la demande la plus détestée de tous les scientifiques, répond Jeremia Kentucky, mais je vais essayer. La Terre, comme vous savez sans doute, est entourée de courants magnétiques dont nous ne ressentons pas les effets, sinon quand nous nous servons d'une boussole. Il s'agit pourtant d'une source potentielle d'énergie. Ce que madame Stein cherchait, c'était des moyens d'utiliser cette énergie absolument non polluante.

— Et elle y arrivait ?

— Tranquillement. Nous avons réussi à produire assez d'électricité pour allumer une ampoule de cent watts, par exemple. Cela peut sembler dérisoire, mais songez que le premier avion s'est maintenu au-dessus du sol pendant moins d'une minute.

— Oh ! je ne conteste pas la valeur de vos recherches. Mais pouvez-vous me dire ce que signifient les lettres D.B. ? demande Lex Coupal en montrant à son interlocuteur un dossier vide qui porte ces deux consonnes.

— Non... Il s'agit sûrement d'un vieux projet abandonné ou, au contraire, de quelque chose encore à l'état d'embryon. Mais on peut regarder dans les pastilles de données, l'original s'y trouve forcément.

Les pastilles sont rangées dans une boîte en acrylique, mais on ne trouve aucune réponse. Jeremia déverrouille ensuite un classeur gris et en tire une autre boîte. Rien là non plus.

— C'est très étrange. Je ne comprends pas pourquoi madame Stein aurait jeté quoi que ce soit. Ce n'est absolument pas dans ses habitudes. À moins que ce ne soit enfoui dans les ordinateurs. J'appelle notre spécialiste.

Cinq minutes plus tard, un jeune homme souriant, portant le sarrau blanc par-dessus un bermuda à carreaux et coiffé d'un toupet clair, entre dans le bureau.

— Monsieur Younan est notre spécialiste en informatique. S'il y a quelque chose dans ces machines qui s'appelle D.B., il va le trouver.

Monsieur Younan est un virtuose ; les ordinateurs lui obéissent au doigt et à l'œil.

— Je l'ai !... mais c'est vide. Ou bien elle n'a jamais rien mis dans ce dossier, ou bien elle a tout effacé avant de partir. Chose certaine, elle gardait ça pour elle, car il n'y a rien non plus dans le réseau.

— Gageons sur la seconde hypothèse, dit Lex Coupal.

— Je pense comme vous, intervient Jeremia Kentucky. Mais D.B., je ne vois vraiment pas ce que cela peut vouloir dire.

— N'y a-t-il pas quelqu'un dans cette boîte qui pourrait nous renseigner, qui aurait collaboré avec madame Stein ?

— Je crains que non. Vous imaginez bien que lorsque j'ai appris son intention de nous quitter, j'ai fait ma petite enquête. Vous pouvez interroger tout le monde, mais franchement, vous perdriez votre temps.

— Sans doute. De toute façon, le temps me manque. Mais dites-moi, monsieur Kentucky, y a-t-il quelqu'un d'autre qui vous ait quitté récemment, ou qui ait manifesté le désir de le faire ?

— Personne.

— Vraiment personne ? Pensez-y bien.

Jeremia Kentucky réfléchit un moment.

— Oui, il y a bien eu un autre départ, mais je ne pense pas qu'il y ait le moindre rapport.

— Dites toujours !

— Nous avons dû nous séparer d'Andrew Donaldson.

— Ce n'était pas un départ volontaire ?

— Non. D'ailleurs, ce n'est pas vraiment un départ, monsieur Donaldson a été mis en congé forcé.

— Forcé par quoi ?

— C'est que... c'est plutôt indélicat.

Jeremia Kentucky ne connaît Lex Coupal que depuis une heure à peine. Il sait qu'il est agent de l'ANGE, une organisation qui lui était jusqu'à ce jour inconnue, mais il sent qu'il doit lui faire confiance.

— C'est que monsieur Donaldson montrait depuis quelques temps des signes inquiétant d'éthylisme.

— Il buvait...

— Dangereusement. Vous comprendrez que dans un établissement de recherches comme le nôtre on ne peut tolérer longtemps que quelqu'un se présente au travail en état d'ébriété.

— Le problème existait-il avant le départ de Sarah Stein ?

— Je ne me suis jamais posé la question, mais maintenant que vous m'y faites penser, je dirais que non.

— Ce Donaldson était-il en rapport direct ou indirect avec Sarah Stein ?

— Direct, non, mais indirect, peut-être bien. Nous ne tenons pas de statistiques sur ce genre de chose. Nous croyons que les échanges informels entre scientifiques ne peuvent qu'être productifs.

— Quelle était la fonction de monsieur Donaldson ?

— C'était ce que, dans notre jargon, nous appelons un sherpa.

— Un sherpa, n'est-ce pas une sorte de guide, de porteur, comme les indigènes qui ont accompagné les conquérants de l'Everest ?

— C'est cela. Un assistant.

— Bon. Si vous m'indiquiez maintenant où je pourrais trouver ce monsieur Donaldson, vous contribueriez grandement à mon enquête.

Peu de temps après, Lex Coupal sonne à la porte d'un petit cottage au revêtement extérieur de clins de vinyle qui ne paie guère de mine, comme la plupart des maisons voisines. Le quartier a dû être coquet au XXe siècle, mais le chômage l'a lentement rongé comme une maladie incurable, mais non mortelle. Il a maintenant le visage triste et ridé de ses habitants.

La vieille femme qui lui ouvre ressemble à l'Amérique de ce début de millénaire, grosse de croustilles et de *junk food*, maigre d'espoir et d'amour, et fatiguée dans sa robe de chambre élimée. Elle se méfie d'emblée.

— Bonjour, Madame. Est-ce que je pourrais parler à Andrew Donaldson ?

— Qu'est-ce que vous lui voulez, à mon fils ? Vous venez de l'Institut ?

— Non, Madame, je représente une organisation internationale, dit-il en lui montrant sa carte.

L'espace d'un moment, la vieille femme se prend à rêver à nouveau. Un nouvel emploi, peut-être, une chance pour son pauvre Andrew, tellement intelligent, de se remettre sur pieds. Mais elle se rabroue intérieurement. Elle ne veut plus être déçue.

— Il est chez Bill. Mais je ne sais pas si on peut encore lui parler à cette heure.

— Bon. Vous seriez bien aimable de m'indiquer où habite ce Bill.

— Bill est mort depuis longtemps, répond la vieille en ricanant. C'est son fils qui tient ce qui reste de la place.

Ce disant, elle pointe du menton le bout de la rue qui descend en se tordant vers une rivière brune. Lex Coupal aperçoit une enseigne au néon, *Bill's Beer Barn*.

Deux minutes plus tard, il pousse une porte vitrée et entre dans une taverne minable. Dans un coin, quatre vieillards en forme de tonneaux parlent fort autour d'une table encombrée de verres vides. Ils se sont tus quelques secondes à l'arrivée de Lex Coupal.

Plus loin, un homme aux longs cheveux roux, à la barbe négligée, s'est tu lui aussi, de même que la fille assise à la même table. Elle se lève. Blonde comme une *Barbie*, elle porte une mini-jupe qui ne cache rien de ses bas de nylon noirs. Son décolleté plongeant dégage un parfum sucré qui traverse la pièce pour agresser les narines de l'espion. *I'm dreaming !* pense-t-elle en voyant cet homme bien mis, grand et droit comme celui qu'elle aurait voulu rencontrer il y a vingt ans. Il lui aurait évité de moisir dans ce trou.

— Monsieur Andrew Donaldson ?

— Ouais...

— Est-ce que je peux m'asseoir ? J'aimerais vous parler. Je ne suis ni de la police ni de l'Institut...

— Pourquoi pas ? On voit si peu de nouveau monde dans ce trou... mais vous me payez une bière, hein !

— J'allais vous l'offrir.

73

— Parfait. Madonna, tu m'apportes un pichet, mon trésor...

La fille répond par un grognement affirmatif.

— Et pour vous, Monsieur ? demande-t-elle gênée, car il y a belle lurette qu'elle n'a pas appelé un client « Monsieur ».

— Un Perrier citron.

— On n'a pas de ça ici, excusez-moi.

— Alors n'importe quoi d'approchant.

— Un *Seven-Up* ! suggère-t-elle, fièrement.

— Ce sera parfait.

Elle s'éclipse. Lex Coupal regarde un moment Andrew Donaldson avant d'amorcer le dialogue. C'est un homme en perdition, absolument vidé de tout, qui comble son vide avec de la bière. Il était peut-être beau autrefois. Roux aux yeux verts, c'est un genre qui aurait pu plaire, mais il est maintenant bouffi, sa peau est ravagée de plaies roses, ses orbites sont comme des cratères et de longs poils gluants sortent de ses narines comme des vers de leur trou. Lex Coupal choisit de foncer. De toute manière, encore quelques gorgées et le type sera trop ivre pour se rappeler le nom de sa mère.

— Monsieur Donaldson, je voudrais que vous me parliez de Sarah Stein.

L'homme arrête de respirer. Son regard se fixe sur Lex Coupal qui crispe discrètement les poings, prêt à se protéger en cas d'agression. Donaldson tient par l'anse son bock presque vide, il pourrait s'en servir comme d'un marteau. Il en a envie, car le nom de Sarah Stein lui fait l'effet du sel sur une brûlure. Heureusement, Madonna arrive avec la commande. Au *Seven-Up*, elle a ajouté un croissant de citron fané et une cerise qu'on dirait en plastique. Lex Coupal lui remet un billet de cent dollars, en lui faisant signe de garder la monnaie. Elle se retire en rougissant, ce n'est pas un pourboire, c'est une bourse ! Et Andrew Donaldson, contre toute attente, éclate d'un rire gras.

— Sarah Stein... Elle est bien bonne ! Qu'est-ce que tu veux que je te dise d'une femme que je me tue, – lentement, précise-t-il en levant le doigt –, à oublier ?

Il remplit son bock en ricanant encore et la mousse déborde. Il en avale la moitié et rote bruyamment.

— Fumez pas ?

Pour toute réponse, Lex Coupal, tel un prestidigitateur, exhibe un billet de 50 $. Tout de suite, le parfum de Madonna fait sentir sa présence.

— Qu'est-ce que je peux faire pour vous ?

— Quelle marque ? interroge-t-il en pointant le menton vers l'ivrogne.

— *Camel* sans filtre.

Il tend le billet à Madonna.

— Un paquet ?

— Donnez-lui en pour 50 $.

— Ben... ça fait un paquet et il vous revient...

— Gardez la monnaie... et j'en prends un autre, dit Lex Coupal en sortant un autre billet.

— Wow ! On peut dire que tu sais mettre le monde en confiance, toi ! s'exclame Donaldson en s'étouffant presque dans un rot.

— Vous étiez amoureux de Sarah Stein ?

— Amoureux, moi ? Je sais pas. Je sais même pas ce que ça veut dire, amoureux, mais depuis la première fois que je l'ai vue, elle est collée là.

Pour appuyer son propos, il se frappe le front avec ses deux doigts si férocement qu'il fait éclater un petit bouton et perler une goutte de sang.

— Et elle ?

— Elle ? Trop folle pour aimer qui que ce soit.

— Folle ? Que voulez-vous dire ?

— Le travail ! Toujours le travail, le jour, la nuit, toujours trouver quelque chose, toujours chercher, rien d'autre dans le monde...

Il boit encore, il faut donc faire vite. Les cigarettes arrivent et il défait un paquet avec mille précautions. Il sort une cigarette, la caresse, la hume, l'allume en tremblant et savoure lentement la fumée.

— Vous aviez quand même une relation avec elle, non ?

— Une relation... Oh ! la jolie relation... Ouais... On baisait à peu près une fois par mois.

— Ah bon !

— Santé, qu'elle disait ! Mais toi, hein, tu te demandes comment une épave comme moi... Hé ! Mais j'étais pas si mal, moi, Monsieur ! Des femmes, j'aurais pu en avoir d'autres, mais celle-là, je l'ai dans la peau, qu'est-ce que tu veux que j'y fasse ?... Ça m'a pris un an à me décider à l'inviter à prendre un verre un soir... jamais eu autant peur d'aborder une femme. Puis voilà qu'elle me répond : « Tu tombes bien, Andrew ! Chez toi ou chez moi ? » Oh ! monsieur ! On s'est pas ennuyé. Elle fait rien à moitié, la maudite. Puis le lendemain, pas un mot ! J'étais comme les autres. Santé ! qu'elle disait.

Andrew Donaldson continue à boire ; il a les yeux humides. Lex Coupal, curieusement, éprouve une sorte d'admiration pour lui. Il envie cette passion destructrice, tellement contraire à sa propre manière de vivre où les émotions sont toujours maîtrisées.

— Pourquoi est-elle partie ?

— Me semblait, aussi ! La question à cent mille dollars.

— Vous le savez, n'est-ce pas ?

— Ben oui, tout le monde le sait ! Elle est partie avec les gourous de je sais pas quoi...

— Mais la vraie raison...

— Folle, je te dis, folle... Sauver le monde...

— Sauver le monde de quoi ?

— Est-ce que je sais, moi ?

— Mais si, vous savez.

Andrew Donaldson cale la presque totalité d'un bock d'un seul coup et, les avant-bras sur la table, s'approche de Lex Coupal avec l'air ridicule de vouloir lui révéler un secret. Il baisse le ton. Lex Coupal doit supporter son haleine infecte.

— Écoute, mon ami... comment déjà ?

— Coupal.

— Écoute-moi bien, Coupal, articule-t-il péniblement en jetant des regards de côté, dans quelques jours... pfuitt ! Fini ! Plus rien !

— Je ne vous suis pas très bien...

— Plus rien, plus de mm...Masssos ...ett...ology, plus de Coupal, plus de Donaldson, plus rien ! Ça fait que je m'en fiche pas mal d'être soûl, puis laid...

Lex Coupal juge que le moment est venu de frapper le grand coup.

— Elle est partie à cause du dossier D.B., n'est-ce pas ?

Andrew Donaldson le regarde avec un étonnement qui ne résiste pas longtemps aux effets de l'alcool.

— D.B. Oui, c'est ça, mais vous savez pas ce que ça veut dire, hein ? C'est ça que tu veux savoir, mon pote !

— C'est cela.

— Moi, je sais.

— Et cela veut dire...

— DB...D'autre bb...bière, peut-être ?

— Tant que vous en voudrez, mais dites d'abord.

— *Donut bomb* ! La bombe-beigne !

— La bombe-beigne ? Qu'est-ce que c'est ?

Andrew Donaldson forme un petit rond avec ses mains.

— Autour, tout bang-bang ! plus rien, mais dans le trou du beigne, pas de problème. La belle vie !

— Elle existe, cette bombe ?

— Oui, mais petit problème...

— Quel problème ?

— Pas arrêtable ! C'est une bombe magnétique. Ça part, et ça s'arrête pas. Vroum ! ça fait le tour du globe comme ça !

Andrew Donaldson fait péniblement le geste d'entourer une sphère avec ses mains ouvertes.

— Ça s'arrête à l'autre bout du globe.

— C'est à cela que Sarah Stein travaillait ?

— Sarah ? Mais non... trouvé ça par hasard... voulait rien savoir... mais le Pentagone, lui, il voulait qu'elle continue...

— Elle a refusé ?

— Gardé le secret pour elle... Frustré, le Pentagone ! Oh là là ! Mais frustré !... insiste-t-il en agitant une main comme pour se sécher.

— Ils ont insisté assez lourdement, je suppose.

Andrew Donaldson rit de bon cœur.

— Tu parles bien, toi ! Oui, assez pour l'écœurer.

— Et c'est pour ça qu'elle est partie ?

— Ouais... quand le gourou de la fin du monde lui a vendu sa salade...

— Elle y a cru ?

— T'as l'air intelligent, mon pote, mais tu mets du temps à comprendre. Sarah, c'est un cerveau puissant... pas à elle que tu vas

80

faire croire que la fin du monde est pour demain...

— Alors, pourquoi a-t-elle adhéré à l'Arche ?

— T'es bouché, ou quoi ? T'as une belle montre, mon pote, une Rolex, hein ? J'ai toujours aimé les belles montres, mais j'en porte plus. Dans quelques jours, mon pote, quand l'onde va passer ici, ta montre, boum ! Comprends-tu ?

Andrew Donaldson s'anime. Ses yeux semblent augmenter de volume. Il se lève en renversant sa chaise et se met à gueuler en faisant de grands gestes.

— Les tuyaux, dans les murs, les fils électriques, patatrac ! Tout ce qui est en métal va capoter, se tordre, se coller, se repousser, le bordel complet. Les Rocheuses vont se changer en tas de cailloux, la Californie va y passer. Fini le monde, comme ça !

Du revers de la main, il envoie au sol le pichet et les verres dans un grand fracas. Les vieillards de l'autre table se taisent à nouveau et surveillent la suite des événements. Madonna arrive, suivi d'un gros homme qui semble le patron.

— Les nerfs ! crie-t-elle. Relaxe un peu !

Le patron agrippe le bras d'Andrew Donaldson.

— C'est assez pour aujourd'hui. Allez, dehors !

— ...capable sortir t'seul...

Il se dirige vers la porte en suivant un dangereux zigzag. Heureusement, le patron le suit de près pour l'empêcher de s'écraser sur une table. Juste avant de passer la porte, l'ivrogne se tourne une dernière fois et hurle :

— La fin du monde, pour tout le monde, dans quatre jours.

— Excusez-moi, dit Lex Coupal quand la porte se referme en mettant une sourdine à la voix d'Andrew Donaldson qui continue à vociférer dans la rue. Je ne pensais pas provoquer ce dégât. Voici pour vous dédommager.

— Ah ! c'est pas de votre faute, réplique Madonna tandis que son patron accepte en souriant un billet de 100 $ tout neuf. Il nous fait souvent son cinéma. Il a complètement perdu la boule.

— Espérons que ce n'est que cela, dit Lex Coupal, d'un ton grave.

Quelques minutes plus tard, dans la voiture qu'il a louée, il ouvre son ordinateur portable muni d'un module de communication intégré, et envoie au siège de l'ANGE le message suivant :

Priorité rouge : confirmez que le Penta-gone a été mis au courant de la découverte par Sarah Stein d'une bombe magnétique et qu'il a tenté sans succès d'obtenir sa colla-boration.

Chapitre 5

Le 29 décembre 2030 dans l'océan Indien

Le *New Eden* fend les flots avec une aisance qui ne laisse rien voir de son imposant tonnage. C'est un navire hybride, à la fois porte-conteneurs, cargo et paquebot. C'est une acquisition majeure de l'Arche. Grâce à lui, on a pu apporter dans cette île déserte tout ce qu'il fallait pour fonder une colonie : les plantes, les animaux, les matériaux de construction et le matériel scientifique.

Appuyé au bastingage, son sac de voyage en bandoulière, Olivier scrute cette île fantastique, sous le regard condescendant de Giovanni Cacciatore. Après un bref séjour à Paris, à Moscou, puis à Rome, où Olivier a pu constater que l'Arche mange à tous les râteliers, ils se sont rendus à Suez pour s'embarquer sur le *New Eden* afin de traverser la mer Rouge, le golfe d'Aden et une bonne partie de l'océan Indien.

L'île est aussi merveilleuse que ce qu'en a dit le « ministre des finances », Giovanni Cacciatore. Elle est apparue d'abord comme un petit bubon vert sur la ligne de l'horizon, mais on voit maintenant une haute montagne à la cime aiguë, d'où descendent de brillants rubans d'eau vive.

— L'eau de mer est dessalée, puis pompée vers le sommet d'où elle s'écoule à travers les différentes plantations. Un remblai étanche a été creusé autour de l'île pour que l'eau douce ne retourne pas à la mer. Le sel de mer de l'Arche est vendu partout dans les boutiques exotiques. Il a la réputation de purifier l'aura des personnes qui en mettent dans l'eau de leur bain.

— C'est vrai ?

— Je le crois, oui. Évidemment, tous les sceptiques du monde nous tombent dessus parce que nous n'avons pas pu établir une preuve scientifique, mais la science ne peut pas tout expliquer. D'ailleurs, les gens de l'Arche ne se baignent jamais que dans l'eau qui entoure l'île, et nulle part ailleurs vous ne rencontrerez de personnes plus ouvertes sur la réalité universelle. Chose certaine, ce sel ne peut faire de mal à personne et contribue à notre financement.

Ils ont par ailleurs peu parlé des objectifs de la secte. Le ministre appliquait le vieux principe selon lequel on n'attire pas les mouches avec du vinaigre.

Le navire s'arrête à un kilomètre de l'île. À cette distance, des centaines de personnes vêtues de robes vertes s'affairent, montées à bord de canots pneumatiques, à assembler les différentes composantes de ce qui ressemble à un pipeline. C'est un long tube circulaire qui fait le tour de l'île, fixé à des poteaux qui s'enfoncent dans l'eau pour se planter, on le suppose, dans le fond marin.

— Qu'est-ce que c'est que cet anneau ? demande Olivier.

— C'est notre anneau de protection magnétique... Franchement, je suis bien embêté de vous expliquer quel en est le principe, mais vous recevrez bientôt des réponses à toutes vos questions.

Le *New Eden* pénètre à l'intérieur du cercle par une ouverture qui s'actionne d'elle-même, puis suit un chenal balisé jusqu'à un quai impressionnant, équipé pour le débardage. À son extrémité, s'élèvent des bâtiments cylindriques qui sont sûrement des entrepôts. Le *New Eden* avance avec une extrême lenteur, et Olivier a tout le temps d'admirer le chatoiement des eaux peu profondes, d'où émergent à intervalles réguliers, d'énormes éoliennes dont les hélices tournent paresseusement, comme si ces maigres géants envoyaient des signaux à des flottes invisibles. Sur le flanc de la montagne se dressent d'autres éoliennes et d'immenses capteurs solaires qui dessinent des rectangles sombres dans la verdure. L'on aperçoit au fil de l'eau la silhouette d'étranges machines submergées. *Sans doute des centrales électriques marémotrices ; elles produisent toute l'énergie dont ils ont besoin,* pense Olivier. *Alors, pourquoi donc leur faut-il de l'uranium ?*

Sur le quai, des dizaines de personnes assistent à l'accostage du *New Eden*. Ensuite, elles se mettent immédiatement au travail tandis que s'approchent des véhicules de transbordement. Olivier et son compagnon descendent une petite passerelle au pied de laquelle les attendent un homme et une femme.

Elle a la peau foncée et semble fort belle. Ils sont vêtus de la même robe verte, serrée à la taille par une large ceinture. Le vêtement semble confortable. Olivier se demande s'il lui faudra le porter. Il n'y verrait pas d'inconvénient normalement, mais ses gadgets vestimentaires ne lui seront d'aucune utilité au fond d'un sac à dos. Justement, il arrive avec la pile des valises. Olivier s'approche pour le récupérer.

— Laissez donc ! lui dit son hôte. Nos gens s'occupent de tout.

Olivier saisit quand même son sac.

— Celui-là, je le garde toujours avec moi.

— Comme vous voulez. Mais venez que je vous présente : Olivier Morier, annonce-t-il sur un ton quelque peu solennel. Monsieur Morier, malgré son jeune âge, est un généticien de premier ordre.

Olivier tend la main à la femme d'abord. Elle répond à son geste en emprisonnant la main tendue entre ses deux mains à elle, dressées vers le ciel. Sa peau est fraîche. Attiré par tant de choses à observer et à noter, Olivier ne l'a pas encore vraiment regardée. Il lève les yeux et, tout à coup, il a l'impression que ses jambes se remplissent de gélatine, que le quai disparaît sous ses pieds, que l'océan se met à tourner, que le soleil danse... Jamais il n'a eu une telle vision de beauté. La jeune femme, qu'il devine encore en deçà de la vingtaine, sourit et ses dents étincellent. Dans son visage au teint de bronze poli, ses yeux le fixent, des yeux fascinants qu'il voudrait regarder sans arrêt jusqu'à l'épuisement total, des yeux qui reflètent mille couleurs, des yeux comme des concentrés de l'océan qui les entoure... Et le reste du visage est à l'avenant ; un nez taillé comme une sculpture africaine, droit, à la fois fin et fort, avec juste assez de volume dans les narines pour exprimer une intense vitalité. Et la bouche ! Oh ! la bouche... ! La jeune déesse ne porte aucun maquillage, ni bijoux, d'ailleurs, à l'exception d'une pierre rose, grosse comme une olive, pendue à son cou. L'homme aussi porte une pierre. Mais la délicieuse bouche s'ouvre et laisse entendre une voix qui remplit l'air comme la chanterelle d'un violon.

— Je suis Ève, dit-elle. Bienvenue parmi nous, monsieur Morier.

— Et moi, je suis Amon, dit à son tour l'homme dont Olivier venait d'oublier l'existence.

Il lui prend les mains de la même manière que l'avait fait la jeune femme, mais avec un effet beaucoup moins agréable.

— J'espère que vous trouverez votre séjour dans notre communauté suffisamment enrichissant pour le prolonger, salue-t-il.

— Je dois vous expliquer, intervient Giovanni Cacciatore, que les disciples, lorsqu'ils sont définitivement acceptés, reçoivent un nouveau nom, toujours puisé dans les grands mythes de l'humanité. Moi, on m'appelle Gabriel, comme l'archange.

— Vous auriez pu tomber plus mal... remarque Olivier qui cherche, sans en avoir vraiment envie, à prendre le dessus sur son émotion.

— Cela dépend du point de vue, Olivier, lui réplique doucement Ève. Pour un Hindou, Gabriel est aussi exotique que le sont pour vous Ishtar ou Vishnu !

Le fait que cette merveilleuse voix l'appelle par son prénom n'aide en rien Olivier à retrouver la fermeté de ses jambes. Il voudrait lui répondre quelque chose, mais il s'en veut surtout de sa remarque, et se sent tout bête.

Ève qui le regarde avec beaucoup de compréhension l'entraîne avec les autres vers la terre ferme. Les grues se penchent déjà sur le *New Eden* pour extraire de ses entrailles des conteneurs qu'elles alignent sur le quai.

Une brise taquine vient agiter la robe de la jeune femme, et même un peu les longues et fines tresses de sa coiffure. *Elle ne marche pas*, pense Olivier, *elle glisse !... Qu'est-ce que je vais faire ?* se demande-t-il.

Le petit groupe se retrouve bientôt derrière les entrepôts où, à la surprise d'Olivier, les attend une calèche semblable à celles que louent les touristes dans le Vieux Montréal.

— Nous limitons à l'essentiel l'utilisation des moteurs, explique Giovanni-Gabriel Cacciatore. Pour les déplacements des personnes, nous utilisons des chevaux.

— Vous savez monter ? demande Ève.

— Je l'ai déjà fait, répond Olivier, mais je ne dirais pas que je sais vraiment monter.

— Je vous aiderai, vous verrez comme c'est simple. Nos chevaux sont doux comme des agneaux.

— Je veux bien ! continue Olivier, n'exprimant par cette réplique qu'une infime fraction de son enthousiasme.

La calèche s'ébranle en empruntant un petit chemin qui longe la plage et pénètre par moment dans l'ombre suave des arbres fleuris aux multiples parfums.

— Nous allons vers la côte sud de l'île, explique Amon en dirigeant les chevaux d'une main molle. Sous cette latitude, c'est le côté le moins chaud. C'est là que nous habitons et que nous essayons d'adapter certaines essences nordiques. Nous aimerions avoir un représentant de chaque famille d'arbre, même de vos érables du Canada.

Olivier songe à corriger Amon : les érables sont bien plus du Québec que du Canada. Mais il n'en fait rien. Les changements constitutionnels survenus au Canada au tout début du siècle ne doivent avoir que bien peu d'importance pour des gens convaincus que la fin du monde est commencée depuis une décennie ! Ève ne dit rien et se laisse conduire avec une gracieuse indifférence.

Tout à coup, la calèche grimpe une petite pente, négocie un virage à 75^0, et voilà le village ! Des toits pyramidaux s'étendent à perte de vue vers l'Est, reflétant l'azur du ciel. Le contraste entre la géométrie des formes architecturales modernes et l'omni-présence de la végétation produisent un joli effet. Il faut descendre, car les chevaux n'entrent pas dans l'enceinte du village, question de salubrité.

Les allées sont toutes larges et ombragées. On y croise peu de monde, des gens affairés qui jettent en passant un regard intrigué à Olivier. Il commence à se sentir bien particulier dans son jean bleu et son polo blanc. On rencontre aussi des grappes d'enfants qui jouent sous l'œil attentif de disciples âgés.

— Dans l'Arche, commente Gabriel, tout le monde travaille, sauf les tout jeunes.

— Il n'y a pas d'école ?

— Non, les enfants apprennent en travaillant et le soir, dans les pyramides, les Éclairés lisent et commentent les textes anciens.

— Les Éclairés ?

— Oui, ce sont des disciples qui ont vu la lumière...

— ...c'est-à-dire ?

— ...qu'ils se sont complètement débarrassés de leur identité antérieure.

— Je vois, mais comment peut-on savoir... ?

— Les Éclairés portent une pierre au cou, laquelle est choisie et leur est remise par Maneïdhou.

— Mais comment savoir si on s'est défait de son identité antérieure ?

— Maneïdhou le sait. Vous allez d'ailleurs le rencontrer dans un instant.

En effet, on arrive au centre du village, où se trouve la plus grosse des pyramides, celle de Maneïdhou. Toutes les pyramides, celle-ci comprise, sont construites sur des pilotis de trois mètres.

— Il y a plusieurs raisons à ces pilotis. D'abord, il faut user du sol avec respect, ne pas l'empêcher de respirer, car la terre est notre mère à tous. Ensuite, ce n'est pas pour des raisons d'ordre esthétique que nous construisons en forme de pyramide. Vous savez sans doute que la pyramide possède la faculté de concentrer l'énergie cosmique, à condition que sa forme soit parfaite. Les nôtres n'ont pas de fenêtres, et nous entrons par en dessous.

— Je ne vois ni câblage ni tuyauterie !

— Le village ne comporte ni électricité ni plomberie. Les disciples vont chercher leur eau chaque jour dans des bâtiments installés à la périphérie, qui servent aussi de sanitaires.

— Mais alors, toutes ces éoliennes, et les centrales marémotrices, à quoi servent-elles ?

— Hum... Vous êtes observateur, c'est bien. Cette énergie-là est utilisée par les laboratoires. Mais n'anticipons pas, vous aurez tout le temps de visiter nos installations.

— Je suis déjà très impressionné.

Sous la pyramide, vaste comme un gymnase, une trappe s'ouvre et un escalier se déploie. À l'intérieur, il y a d'autres pyramides, plus petites, formées à même ses quatre sommets, et qui forment des pièces séparées. Les parois de la grande pyramide sont translucides, et le ciel est visible au travers, ainsi que le paysage déjà familier du village.

Au centre, une grande table en forme d'anneau est dressée autour d'une pyramide de cristal. La pièce est remplie d'hommes et de femmes en robe verte. Olivier ne peut s'empêcher de remarquer qu'ils sont tous d'âge mûr.

— Il n'y a pas beaucoup de jeunes ici !

— Il faut du temps pour trouver la lumière, et seul les Éclairés peuvent pénétrer dans la grande pyramide. Évidemment, nous faisons une exception pour certains invités de qualité...

— Et Ève ? demande encore Olivier, insensible à la petite flatterie dont vient de le gratifier Gabriel. N'est-elle pas bien jeune ?

— Oui... mais Ève, c'est particulier. Vous avez bien un petit creux, comme on dit ?

En effet. Le petit déjeuner, pris sur le *New Eden*, est déjà loin, et les émotions ont creusé leur chemin dans l'estomac d'Olivier. Cependant, avant de passer à table, il doit se prêter à une fastidieuse séance de présentations. Les hommes et les femmes en robe verte défilent devant lui et lui prennent tour à tour les mains comme l'ont fait Ève et Amon. C'est la manière de l'Arche d'accueillir un visiteur. Olivier essaie tant bien que mal de retenir les visages et les noms, mais Ève accapare encore la majeure partie de son énergie cérébrale.

C'est le moment de s'asseoir. Les disciples, qui parlent peu et toujours à voix basse, prennent place autour de la table avec une discipline qui tient du rituel. Olivier se rend compte tout à coup que le mot discipline vient sûrement du mot disciple. La table est basse et l'on s'assoit sur des coussins. Giovanni Cacciatore, dit Gabriel, indique une place à Olivier, près de lui. Ève est toute proche aussi, ils ne sont séparés que par une place vide.

Personne ne commence à manger, et pourtant, la table est généreusement garnie de plateaux et de corbeilles contenant des légumes et des fruits, ou de petites pâtisserie rondes et colorées. Les disciples adoptent une attitude silencieuse et recueillie. *J'espère qu'il ne vont pas commencer à prier !* pense le garçon.

Mais déjà, il les voit lever la tête. Dans le triangle équilatéral formé par le plancher de la pyramide du sommet, un disque se détache et descend lentement dans un faisceau de lumière. Bientôt se dessine la silhouette d'une personne assise. Olivier sait qu'il s'agit d'un homme, ce ne peut être que Maneïdhou.

C'est bien lui. Le disque porteur s'est posé sur le sol et le maître de la secte se lève lentement. Il semble grand, mais Olivier remarque qu'il porte des sandales à semelles épaisses, alors que les autres sont pieds nus. Il porte aussi une robe verte, mais sans ceinture à la taille, ce qui ne permet pas d'évaluer s'il est maigre ou gras. Ce qui en impose le plus, cependant, ce sont ses cheveux et sa barbe, blancs, longs et fournis, qui couvrent la tête, les épaules et une partie notable du torse. Il s'approche et vient s'asseoir entre Olivier et Ève.

— Bienvenue dans notre communauté, monsieur Morier, dit-il simplement, en prenant les mains de l'invité. Puisse votre âme trouver chez nous un peu de la lumière qu'elle cherche.

Il parle d'une voix douce et grave, prenante. Puis, se tournant vers Ève :

— Bonjour, ma fille.

— Bonjour, père.

Olivier se sent rougir. Son père à lui ainsi que monsieur Spink et tous ceux qu'il a rencontrés dans sa brève formation d'espion l'ont mis en garde contre toutes sortes de dangers, mais aucun ne lui a mentionné le plus grand, l'amour !

Personne ne mange encore. On attend que Maneïdhou parle.

— Chers frères et sœurs dans la lumière, dit-il enfin, Siméon Louis, notre père à tous, qui veille sur nous depuis les territoires éternels, m'a fait entendre sa voix. Le jour de la grande lumière est proche. Il m'a chargé de vous transmettre à nouveau la paix et le réconfort : ceux qui croient seront sauvés. La venue de notre jeune invité est un signe de plus.

Olivier souhaiterait faire une petite mise au point, rappeler qu'il n'est ici qu'à titre de touriste, mais il laisse aller les choses.

— Mangeons maintenant, car il nous faut encore accomplir de nombreuses tâches afin d'être prêts.

Les adeptes se servent avec les mains. Les fruits sont frais, juteux et sucrés. Les pâtisseries à base de bananes, de noix de coco et de pain de manioc sont nourrissantes. Il y a aussi du fromage à pâte molle, à moins que ce ne soit du tofu, que l'on prend à l'aide de petits bâtonnets de pain dur. Olivier est déjà habitué à ce type de nourriture, car elle était inscrite au menu du *New Eden*. Tout cela est bien bon, mais il se prend quand même à rêver d'une bonne grosse pizza. Maneïdhou s'adresse à lui :

— Je ne voudrais surtout pas que vous soyez inquiété par ce que je viens de dire. Soyez assuré que personne ici ne fera quoi que ce soit pour retarder votre départ si vous décidez de nous quitter. Je ne vous cache cependant pas que je souhaite du plus profond de mon âme que vous restiez. Votre jeunesse et votre science seraient plus utiles ici que nulle part ailleurs.

— Vous me semblez pourtant parfaitement installés.

— Nous sommes en effet très fiers de ce que nous avons bâti. Mais notre vocation première est d'assurer la survie du plus grand nombre d'espèces vivantes possibles. Or les dimensions restreintes de l'Arche nous obligent à limiter la quantité d'individus de chaque espèce, et, en tant que généticien, vous savez que la consanguinité peut poser problème. Nous avons déjà déploré la naissance de rejetons souffrant de différentes tares. Le créateur a conçu la nature pour qu'elle se développe dans des espaces libres. Ici, la nature a besoin d'être guidée, ce qui peut se faire par la manipulation génétique...

— ...sans doute, mais il faut pour cela des laboratoires très bien équipés...

— Je suis sûr qu'une visite de nos installations de recherche vous étonnera. Vous avez sans doute rencontré Shiva, ajoute Maneïdhou en désignant d'une main une femme aux cheveux roux en laquelle Olivier a déjà reconnu Sarah Stein. Elle sera votre guide. Mais après le repas, sans vouloir vous imposer quoi que ce soit, je vous suggère d'abord de profiter du jour pour faire le tour de l'île. Ève, la chair de ma chair, se chargera elle-même, si vous le voulez, de vous montrer la beauté des lieux.

— Oh ! mais j'accepte avec le plus grand plaisir, répond Olivier, qui a quelque difficulté à modérer des frissons de joie.

Maneïdhou se tait, n'exprimant sa satisfaction que par un maigre sourire dont le sens se perd quelque part entre sa barbe et sa moustache blanches.

Chapitre 6

Olivier se demande si la vie est toujours aussi bête. Son cheval avance au trot sur le sable tendre de la plage, suivant celui d'Ève, aussi belle de dos que de face, avec le vent qui agite sa robe verte et déploie sa chevelure tressée. Ce serait une situation absolument idéale, si ce n'était sa mission. Souvent, Ève ralentit le pas et laisse leurs montures s'approcher côte à côte. Elle lui parle des plantations qui gravissent la montage en rangs serrés, des animaux qui vivent en semi liberté, etc.

Ils mettent pied à terre dans une anse où des flamants roses, nullement intimidés par leur arrivée, continuent leur pêche indolente. Ils s'assoient dans le sable chaud et se contentent durant de longues secondes de regarder l'océan qui scintille à perte de vue.

— C'est vraiment la plage parfaite, un petit coin de paradis, dit finalement Olivier.

— Tout le monde le dit. Je crois que c'est vrai.

— Tu as des doutes ?

— Non, mais c'est ici que je suis née et que j'ai grandi. Je n'ai pas le même regard que toi qui découvre l'Arche à vingt ans.

— Vingt et un... Toi, si je ne suis pas trop indiscret...

— Oh ! ça ne me gênerait pas du tout de te dire mon âge, si je le savais ! Dans l'Arche, on ne note jamais les anniversaires, on a l'âge qu'on paraît, c'est tout. De toute façon, le compte du temps va recommencer à zéro bientôt.

— Tu y crois vraiment ?

— Père le dit.

— Cela ne t'effraie pas ?

— Non, j'ai toujours vécu ici, je continuerai, c'est tout.

— Tu n'as jamais quitté l'île.

— Une fois, avec père, je suis allée à *Now Yerk*...

— New York ?

— Oui, c'est ça. Je n'ai pas aimé ce que j'ai vu. Je ne sais pas comment vous faites pour vivre là-dedans...

— Mais le monde n'est pas partout comme à New York...

— Père dit que partout, les villes ne cessent de grossir et produisent de plus en plus de déchets, et ceux du monde extérieur qui visitent l'Arche disent la même chose. C'est vrai ou pas ?

— C'est vrai, admet Olivier.

— Alors le monde va se détruire, ça ne peut faire autrement, et si tu ne restes pas avec nous, tu seras détruit aussi !

Tout à coup, le regard d'Ève se mouille un peu. Elle regarde Olivier et un trouble étrange lui monte aux joues, apporte une très fine nuance rose à son visage qui, à contre-jour, prend la couleur du sable mouillé. Elle est habituée à recevoir les visiteurs, à les charmer, à leur donner l'envie de rester, mais pour la première fois, elle ne le fait pas seulement pour l'Arche, elle le fait parce que ce garçon lui plaît, avec ses cheveux rebelles et foncés, avec ses grands yeux noirs à la fois vifs et si pleins de douceur, et avec sa voix profonde qui lui rappelle un peu celle de son père. Elle a fréquenté peu de garçons de son âge, puisqu'ils ne sont guère nombreux dans l'Arche. Et puis, à titre de fille de Maneïdhou, elle a été tenue à l'écart. Elle s'en est toujours rendu compte, mais l'arrivée d'Olivier lui rend la chose plus évidente.

— Le monde a beaucoup de problèmes, c'est vrai, des problèmes très graves, poursuit cependant ce dernier, mais cela ne veut pas dire qu'il se détruira. C'est sûr que l'Arche est un endroit merveilleux, mais je ne pourrais pas y vivre. Je ne peux pas vraiment dire pourquoi ; je fais partie de l'autre monde. C'est un monde souvent bien décourageant, je ne sais pas où il s'en va, je pense que personne ne le sait, et c'est peut-être ça, tiens, qui fait que je veux en faire partie : on ne sait pas ce qui va arriver.

— Père le sait.

— Je comprends que tu y croies, et il a peut-être raison, mais il faut que je te dise, Ève, que ton père n'est pas le premier à prédire la fin du monde, et vous tous, ici, n'êtes pas les premiers à y croire. Ce que ton père a réalisé ici est très impressionnant, mais il y a quatre mille ans, les pharaons construisaient des pyramides énormes parce qu'ils croyaient que la vie continuait après la mort si le corps est préservé. Et n'oublie pas que ce qui a été fait sur cette île l'a été grâce à des découvertes faites dans le vrai monde, si tu me passes l'expression, grâce à l'argent de ce monde-là, aussi.

Ève baisse les yeux. Olivier a l'impression d'avoir touché quelque chose en elle ; peut-être a-t-elle déjà réfléchi à tout cela. Elle est intelligente, mais on ne lui a appris que ce qu'on voulait lui apprendre.

— J'ai une question, Ève, que j'hésite à te poser, alors si tu ne veux pas répondre... Où est ta mère ?

— Ma mère, elle est quelque part dans la montagne. Nous enterrons les morts dans les plantations, pour enrichir le sol, sans marquer les endroits. Cela n'a pas d'importance, puisque nous nous retrouverons dans les territoires éternels.

— Tu ne l'as pas connue ?

— J'en ai un très vague souvenir ; elle est morte quand j'étais encore toute petite. Je sais qu'elle s'appelait Sergeline Termidor et qu'elle était noire, évidemment.

— Elle n'avait pas reçu de nouveau nom ?

— Elle est morte avant. Une chute de cheval... Mais c'est le passé ! Je n'aime pas y penser ; ça me fait sentir mal en dedans. Père dit que c'est un karma, quelque chose qui vient d'une autre vie... Si on se baignait ?

Olivier est décontenancé, il ne sait quoi répondre. Ève est déjà en train de défaire sa ceinture en souriant, dans dix secondes, elle sera nue !

— Non, Ève, s'il te plaît, s'oppose Olivier.

— Eh bien quoi ! ce n'est pas grave. Ici, nous ne portons des vêtements que pour nous protéger du soleil. Tu as déjà vu des femmes nues, non ?

— Non... si... mais c'est plus compliqué, c'est que...

De toute sa vie, Olivier ne s'est jamais senti si mal à l'aise. Il imagine Ève courant nue vers l'eau, faisant jaillir des gerbes de lumière... Ève s'immobilise, ne laissant découvertes que ses épaules à la fois délicates et charnues comme des pâtisseries fines.

— Tu as envie de moi, c'est ça ?

— Euh...

— Tu peux le dire, il n'y a pas de mal. Père dit que les hommes et les femmes ne doivent pas s'empêcher de faire l'œuvre de la nature.

— Ah bon ! et toi, tu... enfin, est-ce que... ?

— Moi ? Non, répond Ève en baissant les yeux avec une pudeur qui étonne Olivier, compte tenu de sa précédente attitude. Père ne veut pas. Il dit que je suis comme une princesse, qu'il me faut attendre, mais si tu as envie de moi, je désobéirai.

Maintenant, elle le regarde droit dans les yeux. Olivier ne la connaît que depuis quelques heures, mais il sait que quelque chose vient de changer en elle. À vingt et un an, il est conscient que lui-même, côté amour, est en retard sur la plupart des garçons de son âge. Les études, toujours... Il en avait parlé à sa mère qui lui répétait : « Ne t'en fais pas, quand tu rencontreras l'amour, tu le reconnaîtras tout de suite. » Il est sûr que c'est ce qu'il vit aujourd'hui. Tout en lui le pousse vers Ève avec une force qu'il n'a jamais imaginée. Il se demande à nouveau si la vie est toujours aussi bête.

— Je ne peux pas, Ève.

— Tu ne peux pas ?

— Je peux !... mais pas maintenant.

— Je ne comprends pas.

— Ce n'est pas évident à expliquer...

— Tu vas avec une autre femme ?

— Non, je t'assure, je suis... comme toi, mais disons... que c'est trop vite. Je veux t'aimer pour vrai, comprends-tu ?

— C'est que tu ne veux pas rester, c'est ça ?

— En quelque sorte, c'est ça...

Tout à coup, le bruit d'un cheval au galop les fait sursauter. C'est Amon qui vient vers eux. *Il nous a suivis !* pense tout de suite Olivier. Ève rajuste sa robe.

— Il faut revenir au village pour le repas du soir. Mais auparavant, monsieur Morier, je dois vous installer dans une pyramide, dit Amon, d'un ton plutôt sec.

Ève et Olivier se dirigent vers leurs chevaux qui les ont attendus sans qu'ils aient eu besoin de les attacher. Au moment de monter, profitant de l'instant où ils se trouvent à quelques mètres d'Amon, Olivier touche le bras d'Ève :

— Je t'aime, chuchote-t-il d'une voix brûlante.

— Moi aussi.

Ils suivent Amon jusqu'au village en ne négligeant aucune occasion d'échanger des regards pleins d'agréables sous-entendus. Olivier se sent si bien que la selle de son cheval lui semble un coussin de duvet. Mais au village, ils doivent se séparer.

La pyramide dont parlait Amon se trouve à quelques pas de la grande, dans ce que Amon désigne comme le secteur des visiteurs. *Ils se sont organisés*, pense Olivier, *pour que les disciples ordinaires aient le moins de contacts possible avec les étrangers.*

L'intérieur de la pyramide ne comporte aucune division. Il y a un matelas par terre, une table où sont posés une grande carafe d'eau, une bassine, deux gobelets et des bougeoirs en pierre ponce, garnis de bougies en cire d'abeille.

— Les pyramides n'ont ni eau courante, ni égout. Le sol du village doit demeurer exempt de toute souillure, aussi nous vous demandons d'emporter vos eaux usées au bâtiment d'aisance. C'est là aussi que vous pouvez vous soulager ou prendre une douche. Je vous laisse. Nous mangeons dans une heure, conclut Amon, en pointant le doigt vers le sommet de la pyramide dans lequel, fort ingénieusement, est aménagé un cadran solaire.

Le sac à dos d'Olivier et son sac de voyage, dont il a finalement dû se séparer, ont été apportés et posés sur une étagère. Amon parti, le jeune espion ouvre son sac et remarque que le mince fil de quatre centimètres de longueur qui relie les deux partie de la fermeture éclair n'a pas été rompu, ce qui signifie que son sac n'a pas été fouillé, à moins bien sûr qu'on n'ait pu replacer le fil, mais c'est presque impossible. Toutes ses affaires sont bien à leur place.

Olivier prend sa bible. Entre chaque page dont le numéro est un multiple de 23, il a glissé un cheveu ; ils y sont toujours. Il la pose à l'envers sur la table, et ouvre le recto de la couverture. Délicatement, il décolle le coin supérieur et la couverture se dédouble, révélant une page secrète, qui est en fait un clavier complet, dont les touches fonctionnent grâce à la seule chaleur des doigts ; la couverture elle-même est un écran. Il sort ensuite son rasoir électrique qu'il relie à la bible, grâce à un minuscule fil qui trouve sa prise dans la tranche du livre. Il actionne le bouton du rasoir, un voyant rouge s'allume et une fine antenne se déploie.

Olivier est maintenant prêt à émettre et à recevoir des messages dont il ne craint pas l'interception, car le rasoir est aussi un décodeur. Il appuie délicatement sur les touches du clavier et écrit :

> *Patience*
> *patience dans l'azur...*

et la suite s'écrit toute seule :

> *Chaque atome de silence*
> *est la promesse d'un fruit mûr.*

C'est le code convenu avec monsieur Spink, un poème de Mallarmée, cité par l'astrophysicien Hubert Reeves. Un message apparaît presque aussitôt :
OPÉRATION NOÉ
CONTACT ÉTABLI
AUCUN MESSAGE
VEUILLEZ TRANSMETTRE.

Pas très bavards ! se dit Olivier, avant de transmettre son message :
OPÉRATION NOÉ SUIT SON COURS
BESOIN RENSEIGNEMENTS SUR
SERGELINE TERMIDOR (orthographe incertaine, aucune autre donnée).

Ensuite, il boit un peu d'eau de la carafe, puis se ravise et la recrache dans la bassine. Si elle était droguée ? Il ira plutôt boire au bâtiment d'aisance avant le repas. Il se fait peut-être des idées, mais il est convaincu qu'Amon les a suivis, et son attitude l'a inquiété.

Pendant le repas, l'attitude de Maneïdhou a changé aussi. Il reste poli, affable même, mais Olivier flaire une odeur de ressentiment. Le jeune homme mange en prenant soin de choisir les morceaux les plus éloignés de lui. Le menu est à peu près le même qu'au midi, sauf qu'il s'y ajoute une sorte de beurre de cacahuètes qu'on étend sur du pain plat, et un bouillon chaud et épais que l'on boit à même des écuelles de terre cuite.

— Ce soir, si vous n'y voyez pas d'inconvénients, Shiva pourrait vous montrer une partie de nos laboratoires.

Chapitre 7

Olivier aurait préféré parler encore un peu avec Ève. Tout au long du repas, les nouveaux amoureux ont essayé de communiquer par les yeux. Ils ont seulement réussi à se dire silencieusement que leur exquise complicité n'est pas un rêve, mais une réalité plus belle encore que le rêve. Shiva, alias Sarah Stein, attend Olivier à la sortie de la grande pyramide. Elle l'entraîne tout de suite, comme s'il ne fallait pas qu'il parle à Ève. Constatation ou imagination ? Les amoureux éprouvent souvent le besoin de garder secrète l'éclosion de leurs sentiments, un peu comme on lange un nouveau-né jusqu'à ce qu'il soit assez fort pour risquer ses premiers pas. Dans cette nouvelle société apparemment si libre, pourquoi s'opposerait-on à un amour sain et naturel ? Mais il y a tant de questions !...

Curieusement, Shiva semble plus jeune que sur les images présentées par l'ordinateur de monsieur Spink. Les cernes autour des yeux se sont atténués, les joues sont plus pleines, les cheveux ont du corps. Évidemment, il n'est pas question pour Olivier de la complimenter, car officiellement, il ne sait rien de Sarah Stein.

Et elle sourit comme si elle devinait ses pensées.

— Tu sais, Olivier, dans quelle sorte d'ambiance les savants doivent poursuivre leurs recherches, les pressions, la concurrence, les subventions et le reste... Moi, à un moment donné, je n'en pouvais plus. Ici, dans ce petit coin de paradis, je travaille à mon rythme, je poursuis des buts précis...

Olivier l'écoute et réagit comme s'il n'était rien d'autre que lui-même, c'est-à-dire en exploration dans l'Arche. Il pose donc la question :

— Mais est-ce que tu crois vraiment que la fin du monde est pour bientôt ?

Shiva réfléchit quelques secondes avant de répondre.

— D'abord, il faudrait s'entendre sur le sens que l'on accorde à cette expression. La fin de quoi ? De l'humanité, de la planète, de l'univers ? Maneïdhou ne prophétise pas vraiment la fin du monde, puisque l'Arche survivra. Ce que je crois, cependant, et il s'agit ici de croyance, puisque je n'ai pas de moyens de prouver quoi que ce soit, c'est que nous arrivons à la fin de quelque chose.

C'est plus qu'une intuition. À regarder le monde évoluer, on doit déduire que ça ne peut pas continuer comme ça, que ça ne doit pas continuer comme ça. Prends les dinosaures, par exemple. Quand ils sont disparus, probablement à cause de la chute d'une météorite, ce fut la fin d'un monde. Si l'on croit que le monde a un sens, il faut en conclure que le règne des dinosaures a pris fin parce que qu'il fallait un changement de trajectoire.

— Vous... pardon, tu as bien dit « si on croit que le monde a un sens... »

— Oui. Vois-tu, Olivier, j'ai découvert ici une dimension que je ne connaissais pas, une sorte de lien entre le spirituel et le rationnel, entre la connaissance et l'intuition. Surtout, surtout ! une manière d'agir, de construire quelque chose...

— Ne penses-tu pas que tu étais plus utile avant, quand le monde entier pouvait profiter de tes recherches ? C'est comme si tu abandonnais le monde à son sort ; mais il s'agit de milliards d'êtres humains ! Est-ce qu'on ne peut pas les sauver ?

— Les sauver pourquoi ? Pour qu'ils puissent continuer à s'entre-tuer ?

Olivier n'a pas le temps d'apporter de réponse satisfaisante qu'ils sont à la porte des laboratoires. C'est une porte simple, sans fenêtre, qui semble donner sur un petit bâtiment de rien du tout, lui-même adossé à la pente de la montagne.

— C'est cela, les laboratoires ? Je m'attendais à une gigantesque pyramide !

— Les laboratoires sont aménagés dans des salles creusées dans la montagne ; la montagne est en quelque sorte une pyramide, n'est-ce pas ?

— Mais cette montagne, cette île, est un ancien volcan. N'avez-vous pas peur que le volcan se réveille un beau matin et que tout ce paradis s'envole en fumée ?

— J'y ai pensé, Maneïdhou aussi. Le secteur n'a pas donné le moindre signe d'activité sismique depuis la dernière éruption, qui remonte à 1887. Je sais bien que ce n'est pas une garantie, mais disons que j'en suis venue à la conclusion qu'ici-bas, on ne peut rien faire sans un minimum de foi. Vois-tu, l'intérêt de l'Arche, c'est que quand on y entre, on cesse de regarder les choses du strict point de vue scientifique ou technique. Je poursuis mes recherches comme je l'ai toujours fait, bien sûr, mais dans une perspective holistique, c'est-à-dire qui englobe la totalité de mon être. Il y a une part d'irrationnel dans la personne humaine ; il ne faut pas la nier ni la négliger, encore moins la combattre. La raison pure ne peut trouver de solution durable aux problèmes de l'humanité. Il y a des centaines d'îles comme la nôtre, mais une seule pouvait accueillir l'Arche, et seul Maneïdhou pouvait la trouver ! Les gens qui ont suivi Bouddha, Jésus ou Mahomet, l'ont fait sur des bases bien moins solides que celles que nous offre Maneïdhou. Lui-même a suivi Siméon Louis alors que celui-ci n'avait rien d'autre à proposer qu'un ranch précaire quelque part dans l'Ouest des États-Unis. Siméon Louis a été sacrifié, mais son œuvre a continué. Comme celle de Jésus.

— Mais il n'y a pas que Maneïdhou. Il y a ceux qui ont rencontré des extraterrestres, ceux qui pensent qu'on peut résoudre tous les problèmes du monde par la méditation transcendantale, et tant d'autres. S'il fallait suivre tous ceux qui prétendent sauver le monde, on s'y perdrait. Il faudrait sept vies !

— Peut-être en avons-nous sept en effet, mais il ne faut pas chercher à tout comprendre en quelques minutes. La lumière vient lentement. Pour qu'elle vienne, il faut demeurer dans le halo de la lampe. Entrons.

Shiva tire de sous sa robe verte un trousseau de cinq cartes de couleurs différentes. Elle choisit la verte qu'elle introduit dans une fente aménagée dans la porte. On entend une tonalité et, après avoir rendu la carte, la porte s'ouvre dans un murmure lubrifié. Ils pénètrent dans un couloir éclairé qui mène à une autre porte qui s'ouvre à son tour selon le même procédé. C'est alors qu'Olivier écarquille ses grands yeux noirs, au plus vif plaisir de Shiva.

Devant lui, s'étend une salle plus profonde que large avec, de chaque côté en guise de murs, des rangées d'écrans cathodiques tous allumés, que surveillent deux hommes. Ils viennent aussitôt vers Shiva et lui font les salutations d'usage. Elle les renvoie gentiment à leur tâche.

— Ici, c'est la salle de surveillance. Il n'est pas un point de l'Arche qui ne soit dans le champ de ces écrans.

— Est-ce que ça comprend l'intérieur des pyramides ? domande aussitôt Olivier, non sans inquiétude.

— Non. Tu ne l'as peut-être pas remarqué, mais il n'y a pas d'électricité dans le village, donc pas d'appareil électronique. Pourquoi cette question ? As-tu peur qu'on t'espionne ? demande la savante, narquoise.

— Non, mais je n'aimerais vraiment pas qu'on le fasse.

— Je comprends. Nous avons cependant une vue du village sous tous ses angles, au cas où, par exemple, s'y introduirait une bête. Dans ce cas, une alerte serait aussitôt déclenchée et une équipe spéciale interviendrait.

N'empêche qu'on ne voit à peu près jamais personne dehors... pense Olivier, tout en jetant un coup d'œil sur chacun des écrans. Tout à coup, il s'arrête, un groupe de seize écrans montrent autant de sections du grand anneau qui entoure l'île, qui, dans la nuit tombante, s'illumine de feux argentés. On distingue clairement des personnes qui y travaillent encore. En manipulant une petite boule enfoncée dans la base d'un écran, Olivier déplace l'objectif et grossit le plan.

— On peut obtenir une prise de vue extrêmement détaillée, explique fièrement Shiva, et au besoin, numériser l'image pour faire ressortir le moindre détail.

— Passionnant ! murmure Olivier. Mais dis-moi, qu'est-ce que c'est que cet anneau ?

— Ça, je peux dire que c'est mon œuvre. C'est un anneau magnétique.

— Ça sert à quoi ?

— À beaucoup de choses, mais à la protection, en particulier. Supposons une attaque armée. Eh bien ! cet anneau peut produire une induction magnétique suffisamment puissante pour détruire n'importe quelle machine de guerre comportant quelques composantes métalliques. Il peut même repousser des balles, des bombes ou des obus.

— Mais qui voudrait attaquer l'Arche ?

— Pour le moment, personne, mais on ne sait jamais ce qui peut se produire, n'est-ce pas ?

Ces derniers mots donnent à Olivier l'impression qu'elle insinue quelque chose. Aurait-elle un doute ?

— En tout cas, si cela fonctionne comme tu le dis, c'est une arme redoutable, une découverte majeure...

— Cela fonctionnera, je te l'assure.

Cela fonctionnera ! pense Olivier. *Donc, elle s'attend à s'en servir, c'est bien davantage qu'une précaution !*

— Est-ce que tes anciens patrons connaissent cette arme ?

— Ils voudraient bien la connaître, mais je suis partie avec les plans. En fait, cette découverte, je l'ai faite pratiquement par hasard. Cela n'a jamais été le but de mes recherches. Le seul but que j'ai poursuivi, c'est la découverte d'une source d'énergie parfaitement respectueuse de la nature et accessible au monde entier. L'énergie magnétique est partout autour de la terre. Il n'est besoin ni de l'extraire ni de la produire, il suffit de la capter, puis de l'amplifier. Je n'ai jamais pensé ajouter une nouvelle arme à l'arsenal mondial qui en compte déjà plus que ce que ma conscience peut supporter. Pour tout te dire, si j'étais resté au MIT, il aurait fallu que je me consacre entièrement aux applications militaires de mes recherches, et je ne voulais pas.

— Mais c'est un peu ce que tu as fait ici, non ?

— Ici, ce n'est pas pareil. Si jamais tu décides de rester avec nous, je te montrerai mes plans. Dans mon bureau, j'ai entre autre le projet presque terminé d'un véhicule propulsé par le magnétisme. Il ne reste que quelques détails à mettre au point.

— Pourquoi ne pas me le montrer maintenant ?

Visiblement, Shiva est décontenancée par cette question pourtant simple.

— Disons que nous tenons à ce que certaines informations ne quittent pas l'Arche.

Olivier n'insiste pas. Il ne veut surtout pas avoir l'air d'un espion. La visite se poursuit à travers un dédale de couloirs et de salles. La plupart sont désertes à cette heure. Le plan des laboratoires est difficile à saisir. Aussi incroyable que cela puisse paraître, toutes ces cavernes ont été aménagées sans machines. On a donc creusé seulement où la pierre est tendre, contournant les difficultés plutôt que de les combattre, dans le respect du principe d'harmonie.

Olivier se rend parfaitement compte que Shiva ne lui montre pas tout. En calculant le degré approximatif et l'orientation de chaque virage, il a pu délimiter mentalement tout un secteur que Shiva a systématiquement évité, un secteur central, capital. Il garde le tout en mémoire, car il lui faudra revenir. Comment ? C'est à voir.

La visite s'attarde surtout dans le laboratoire de génétique. Olivier peut constater qu'il n'y manque rien, même pas cette machine à fabriquer de l'ADN qui permettrait de reconstituer celle d'un dinosaure, pour peu que l'on soit prêt à patienter quelques millions de jours. Bref, du matériel ultramoderne.

— Et ça, qu'est-ce c'est ? demande Olivier en désignant du doigt un congélateur marqué de signes cabalistiques noirs.

— Ça... comme tu dis, c'est notre plus précieux trésor, ce sont les restes de Siméon Louis.

— Ah bon ! Je suppose que vous voulez conserver son ADN....

— Exactement.

— Dans quel but ?

— Je ne peux pas répondre à cette question. Il faudra que tu parles à Barjavel.

— Mais je ne me souviens pas qu'on m'ait présenté ce Gargamel...

— Pas Gargamel, Barjavel ! C'est lui qui dirige toute la division de génétique. C'est un grand savant... Tu le rencontreras bientôt.

Encore des mystères !... réfléchit Olivier.

— Admets qu'avec de telles installations, l'Arche pourrait assurer, après la « fin du monde », la continuité dans la recherche.

— Sans doute, mais tu oublies que la recherche avance rarement en un lieu unique. C'est la circulation très rapide des découvertes à l'échelle mondiale qui nous permet de faire des bonds.

— Vrai, mais l'Arche est un lieu spirituel, cela compense. Dans ton université, tu es en contact avec le monde matériel ; ici, tu serais en symbiose avec le cosmos.

Finalement, ils arrivent à une sortie.

— Il y a beaucoup plus à voir, dit Shiva, mais tu n'es pas prêt.

La nuit est maintenant tombée sur l'océan Indien qui dort comme un géant dont on ne verrait que la panse, chatouillée par des rais de lune. Les deux savants sont sortis par une autre porte, un peu plus haut dans la montagne. Le paysage aurait quelque chose de paradisiaque, si ce n'était l'anneau magnétique toujours illuminé.

— Ma foi, s'étonne Olivier, ils vont travailler toute la nuit !

— Oui, confirme Shiva. Les équipes se relaient constamment.

— Qu'est-ce qui presse tellement ?

— L'an 2031.

Une petite brise se lève, l'océan frémit, mille odeurs surgissent de l'île. C'est un de ces moments où l'on n'a plus envie de parler. Imperceptiblement, Shiva s'est rapprochée d'Olivier.

— Il n'y a pas que la science, que l'esprit, il y a le corps, aussi, Olivier. Respire un peu ce parfum.

— C'est vrai que ça sent drôlement bon !

— Moi, ça m'inspire.

Olivier se retourne et sursaute presque. Shiva lui semble complètement transformée. Ses yeux brillent, ses narines frémissent, ses lèvres semblent prêtes à boire. Il n'a pas besoin d'explications techniques pour comprendre ce dont elle a envie.

— C'est que... dit-il maladroitement, je...

En fait, il ne sait ni quoi dire ni quoi faire.

— Tu n'as pas à avoir peur. Ici, faire l'amour est considéré comme un hommage rendu au génie créateur et il n'y a pas de raison de s'en priver... à moins, bien sûr, que ma personne même ne te rebute...

— Oh non ! ce n'est pas du tout cela. C'est que je ne suis pas habitué.

— Ne me dis pas que c'est la première fois ! demande Shiva en haussant le sourcil d'un air tendrement taquin.

— Non, bien sûr, répond Olivier au milieu d'un rire mal assuré.

— Eh bien alors ! reprend Shiva en se frottant contre Olivier qui la sent chaude comme un petit pain. Allez ! ça ne nous fera que du bien. Dans ta pyramide ou dans la mienne ?

Olivier comprend qu'il ne peut plus reculer ; espionner veut dire mentir.

— Chez toi, répond-il en essayant de donner à sa voix des résonances sensuelles. Je t'y rejoins dans cinq minutes.

— Ah bon !... Tu n'essaies pas de te défiler, j'espère, je t'en voudrais.

— Je t'assure que non, mais je tiens à faire un brin de toilette.

— C'est comme tu veux, conclut-elle en lui soufflant un baiser.

Ils descendent vers le village où ils se séparent, après que Shiva lui ait indiqué sa pyramide. Elle est trop excitée et lui trop nerveux pour sentir qu'on les regarde. Une ombre dans la nuit suit chacun de leurs mouvements, puis emboîte le pas à Olivier.

Arrivé à sa pyramide, il s'efforce de rassembler ses idées. Il n'a bien sûr aucune envie d'avoir un rapport sexuel avec Shiva, alias Sarah Stein, ni avec aucune femme de la terre, excepté Ève, mais il doit jouer le jeu s'il veut retourner dans les laboratoires.

Dans sa pyramide, rien ne semble avoir été dérangé. Il se lave sommairement le visage et les aisselles, puis s'asperge de quelques gouttes d'eau de toilette. Ensuite, il ouvre sa bible, un message s'affiche :

SERGELINE TERMIDOR A ÉTÉ ASSASSINÉE. SON CADAVRE A ÉTÉ RETROUVÉ EN OCTOBRE 2222, À MADISON, WISCONSIN. ELLE VENAIT DE REPRENDRE L'ENSEIGNEMENT DE LA SOCIOLOGIE À L'UNIVERSITÉ, APRÈS UNE ABSENCE DE DEUX ANS. ELLE A PASSÉ CE TEMPS DANS UNE SECTE, FORT PROBABLEMENT CELLE DE L'ARCHE DU MILLÉNAIRE. L'ENQUÊTE A ÉTÉ CLASSÉE FAUTE DE PISTES.

Eh bien ! voilà qui jette beaucoup d'ombre dans la lumière de l'Arche. Faudra-t-il en parler à Ève ? Pour le moment, il doit se rendre chez Shiva. On l'avait prévenu que ce genre de mission n'est jamais simple, mais il ne s'attendait pas du tout à ce qu'il est en train de vivre.

Après avoir pris un préservatif rouge, et puis, après réflexion, deux, juste au cas, il repart en vitesse en direction de la pyramide de Shiva, espérant qu'elle n'ait pas changé d'avis. Ce brusque accès de libido peut constituer un tournant majeur dans sa mission. Le problème, c'est que le préservatif drogué est un gadget dont l'usage implique de se compromettre quelque peu. Il n'est pas du tout sûr de pouvoir jouer le jeu jusque-là. *On verra bien !* se dit-il. De toute façon, il arrive à la pyramide de Shiva, toujours suivi d'une ombre dans la nuit, une ombre humaine dont le visage laisse couler quelques larmes que la clarté de la lune transforme en diamants liquides.

Chapitre 8

Cette ombre qui pleure dans la nuit, c'est Ève. Elle a eu tout naturellement envie de retrouver son amoureux. Elle l'a attendu, puis l'a aperçu avec Shiva. Son cœur s'est serré une première fois dans sa poitrine, car Shiva le tenait par le bras d'une manière qui parlait d'elle-même. Il n'y a pas si longtemps que Shiva a adhéré à l'Arche, mais chacun connaît sa voracité lorsqu'elle a envie d'un garçon. Ève se rassure, Olivier n'accorderait sûrement pas à Shiva ce qu'elle demandait. Elle sait pourtant qu'elle n'a aucun droit à la jalousie. Rendre hommage au génie créateur est un devoir, mais il lui semble qu'il y avait entre elle et Olivier quelque chose qui excluait les autres. Elle ne comprend pas très bien, tout cela est tellement nouveau !

Soulagement ! Olivier n'est pas entré chez Shiva, il est plutôt retourné à sa pyramide. Ève veut l'y rejoindre tout de suite, mais une petite voix lui dit d'attendre un peu, ne serait-ce que pour ne pas sembler l'avoir suivi. Étranges pour elle, toutes ces petites préoccupations ! Depuis l'arrivée d'Olivier, elle va de découverte en découverte ; le monde n'est plus le même.

Mais voilà qu'Olivier ressort de sa pyramide. Où va-t-il ? Non ! ce n'est pas possible ! Il va retrouver Shiva, et Ève pleure. Elle n'a pas l'habitude, car on ne pleure pas souvent dans l'Arche. Mais cela devient vite familier, comme une pratique très ancienne oubliée, mais qui est restée présente. Ève est déçue, elle a mal, mal de cette douleur du dedans, comme si on lui arrachait quelque chose, comme si on coupait dans son cœur.

Puis vient encore en elle quelque chose qu'elle ne connaît pas, la rage. Rien qu'une petite rage pour émousser sa douleur. Sans savoir vraiment ce qu'elle fera, elle va vers la pyramide d'Olivier avec la ferme intention d'y entrer. C'est comme un coup qu'elle lui porte, une sorte de vengeance.

Si elle s'écoutait, elle briserait quelque chose, n'importe quoi, elle viderait son sac par terre et éparpillerait ses affaires aux quatre coins. Mais ce qu'elle voit l'intrigue. Parti en vitesse, Olivier a laissé la bible ouverte, branchée au rasoir, et le message est toujours là. Elle ne le voit pas d'abord, absorbée qu'elle est par cet étrange appareillage. Un espion ! Elle ne peut faire autrement que constater qu'Olivier n'est qu'un sale petit espion, qu'elle a été abusée par son charme, comme une idiote. Sa respiration se fait courte, haletante, Ève ne s'appartient plus. C'est qu'en même temps, elle ne veut pas y croire. Son amour pour Olivier s'accroche. Elle devrait courir prévenir son père, et c'en serait fait d'Olivier. On l'embarquerait dans l'hydravion et on le déposerait quelque part en Inde. Elle ne le reverrait plus jamais, mais elle ne peut s'y résoudre, même s'il s'est joué d'elle et même s'il est sans doute en ce moment chez Shiva en train de se délecter de ses fameuses caresses.

Alors, ses yeux tombent sur le message toujours présent à l'écran.

SERGELINE TERMIDOR A ÉTÉ ASSASSINÉE...

Elle lit et relit le message. Bientôt elle comprend que la douleur qu'elle éprouve maintenant est de la même nature que celle qu'elle garde au fond du cœur depuis toujours. C'est celle qu'elle ressent quand elle pense à sa mère. Elle ferme les yeux, et c'est comme si la peine que lui cause Olivier réveillait l'autre, l'appelait et lui redonnait une forme. Voilà qu'elle retrouve l'odeur de sa mère, ce quelque chose de bon et de chaud, de doux, mais aussi de coupant comme une lame. Avec un peu d'aide, elle pourrait peut-être retrouver un souvenir plus précis, mais elle était si petite !... Elle se laisse imprégner...

... sa mère est là, grande et belle, noire comme la nuit, sauf ses yeux humides, à la fois furieux et obstinés... son père est là aussi, plus jeune, plus fort, avec d'autres hommes... tous sont tendus à se rompre...

— *... tu n'as pas le droit*, dit sa mère d'une voix forte et sèche...

— *... l'enfant revient dans l'Arche*, dit son père. *Elle ne t'appartient pas...*

— *... elle ne t'appartient pas non plus...*

— *... elle appartient à Dieu...*

— *... tu as perdu la raison, Didier Reblochon... Tu te prends pour Dieu !*

— *... je ne suis qu'un prophète...*

— *c'est pareil... Tu crois que tu peux tout faire... je ne veux pas que ma fille grandisse avec des illuminés... laisse-nous tranquilles, retourne bâtir ton Arche...*

— *... tu ne peux pas m'empêcher d'emmener l'enfant...*

— *... tu peux peut-être l'enlever, mais il y a des lois dans ce pays. Je te poursuivrai, je te dénoncerai...*

Ève a gardé quelque part la sensation de la douleur, et peut-être aussi le souvenir du sang, mais elle a oublié le reste. Elle comprend soudainement que son père lui a menti, à elle aussi. Cela fait beaucoup de mensonges à s'abattre sur une enfant qui croyait avoir grandi dans la pure vérité. Et lui vient cette pensée : *C'est peut-être ça, la fin du monde !*

Son attention est détournée par l'écran qui montre des signes d'agitation. Le message sur Sergeline Termidor disparaît et d'autres mots s'écrivent. Ève hésite, mais ne peut finalement s'empêcher de lire. Elle le fait avec de grands yeux incrédules, puis reste plusieurs longues minutes immobile et silencieuse. Enfin, elle se lève et sort avec précipitation.

À peine a-t-elle quitté la dernière marche qu'une main d'homme la fait sursauter en se posant sur son bras.

— Où donc allez-vous, princesse, à une heure si tardive ?

— Je n'ai pas l'habitude de vous rendre compte de mes déplacements, Amon ! répond-elle sur un ton de défi, une fois la surprise passée.

— C'est que vous n'avez pas l'habitude de sortir si tard.

— Existe-t-il quelque précepte qui l'interdise ?

— Bien sûr que non.

Amon n'est pas seul, trois solides disciples l'accompagnent. Ève juge sage de ne pas pousser plus loin le défi. Tout commence à sentir trop mauvais.

— J'allais voir mon père. Désirez-vous m'accompagner ?

— Ce sera avec plaisir. Je crains cependant qu'il vous faille patienter un peu, Maneïdhou est en train de régler une affaire.

— Je patienterai le temps qu'il faudra.

Chapitre 9

En attendant Olivier, Shiva n'a pas perdu son temps. Malgré un léger doute sur l'intention réelle d'Olivier de revenir, elle a procédé à quelques préparatifs. De toute manière, si Olivier ne revient pas, elle se trouvera bien un autre partenaire. Elle est comme ça. Il lui a fallu des années pour s'accepter, mais elle sait maintenant que c'est sa façon de vivre : des centaines d'heures à ne penser qu'au travail, et puis tout à coup, un besoin furieux de mordre dans la chair, un besoin qui ne dure même pas une nuit. Elle s'est traitée mille fois de folle, de maniaque, mais c'est le passé. Elle est sans doute folle, mais beaucoup moins que la plupart des gens, pense-t-elle.

Elle retire sa robe verte, un peu encombrante. Comme la plupart des disciples, elle ne porte rien dessous. Elle se brosse les cheveux, se rince la bouche et procède à quelques ablutions intimes. Ensuite, d'un petit coffret d'osier, elle retire un flacon et s'en asperge généreusement le corps. C'est une eau parfumée de plusieurs essences florales qui poussent dans l'Arche. Irrésistible ! Enfin, elle revêt son vêtement de nuit, en soie naturelle, qui adoucit à merveille les formes quelque peu anguleuses de son corps. Elle ne possède pas de miroir, un instrument dont Maneïdhou déconseille fortement l'usage, mais elle sait qu'elle est maintenant prête.

Elle reconnaît le pas d'Olivier qui approche, monte l'escalier et entre.

— Je t'attendais, lui dit-elle simplement, d'une voix mielleuse.

Le jeune homme est saisi. Dans l'éclairage vibrant des bougies, Shiva est superbe et il connaît bien des garçons de son âge qui rêveraient de se trouver à sa place.

— Ne reste pas debout à me regarder ; nous avons mieux à faire. Viens donc t'asseoir.

Ce disant, elle lui montre sa paillasse épaisse et duveteuse posée à même le sol. C'est de toute manière le seul objet sur lequel on puisse s'asseoir. Il obéit.

— Tu sembles bien tendu. Tu as soif ?

Sans attendre de réponse, elle verse un liquide dans deux écuelles. Olivier prend celle qu'elle lui offre, mais il n'arrive pas à cacher sa nervosité.

— Bois sans crainte, ce n'est qu'un cocktail de jus de fruits, mais c'est bourré de vitamines, et ça donne du ressort...

Elle donne l'exemple en buvant d'abord, tout en lui faisant les yeux doux par-dessus son écuelle. Olivier boit à son tour. C'est bon, très bon même, légèrement sucré avec un fond d'acidité qui chatouille gentiment les papilles et, après quelques bonnes gorgées, il se sent en effet plus sûr de lui. Shiva s'assoit à ses côtés, assez près pour que leurs genoux se touchent. Son parfum est étourdissant. Olivier est troublé et pendant un moment, l'envie de se laisser aller monte en lui. Shiva lui caresse la joue. Mais un banc de brume angoissée traverse tout à coup son regard languissant.

— Comme tu es beau ! lui dit-elle, bien trop beau pour mourir.

— Mourir ? Mais je n'en ai pas du tout l'intention !

— Tu as bien raison, dit-elle en se ressaisissant. Je pensais à la fin du monde. Mais qu'on y croie ou pas, nous avons au moins la nuit devant nous. Profitons-en.

Elle pose ses lèvres sur les siennes. Sa respiration change... et les voilà étendus. Elle caresse ses épaules et son torse discrètement musclé.

— Quel beau corps ! ajoute-t-elle. Encore tout plein de jeunesse... Il y a bien longtemps que j'en ai croqué un semblable. Je sens que je vais me gâter. Enlève donc ces vêtements absurdes qui te contraignent.

Ses doigts s'affairent, non sans fébrilité, à défaire la ceinture de son jean.

— Attends un peu, susurre Olivier, il ne faut pas oublier les précautions élémentaires.

Il glisse la main dans sa poche et en sort un petit sachet rouge qui contient un préservatif.

— Tu n'es pas sérieux ? ricane Shiva.

— Mais si, justement, réplique Olivier, tu connais sûrement les risques.

Shiva s'assoit, amusée.

— On n'a pas besoin de ça, ici ! proteste-t-elle. L'Arche est le lieu le plus sain du monde.

— Peut-être bien, mais tu n'as pas toujours vécu ici, et moi, j'y suis depuis moins d'un jour.

— Ne t'en fais pas, je suis sûre que tu es sain aussi. Si tu avais contracté n'importe quel virus, même celui du sida, je le sentirais dans ton aura. Tu es pur comme la première eau du monde.

— Écoute, Shiva, ce n'est pas grand chose, n'est-ce pas, et j'y tiens, sinon je me sentirai mal à l'aise tout le temps. Et puis, j'ai juré à ma mère de ne jamais l'oublier.

— Alors là, dit Shiva dans un rire sincère, alors là, c'est autre chose !

Elle lui prend le sachet d'entre les doigts.

— Et rouge en plus !

— C'est à la cerise.

— Hein ! Tu plaisantes !

— Pas du tout ! Ne me dis pas que tu ne sais pas que ça existe !

— Oh ! moi, tu sais, en dehors de mon labo, je ne voyais pas grand chose... À la cerise... Admets tout de même qu'un monde qui trouve le moyen de fabriquer des bidules aussi ridicules pendant que des millions d'enfants crèvent de faim ou de guerre, admets qu'un tel monde est entraîné sur une pente dangereuse.

— Je le reconnais.

— Ça goûte vraiment la cerise ? demande encore Shiva, sur un ton toujours incrédule.

— Tu peux y goûter, c'est garanti absolument non toxique !

Elle déchire le sachet, sort le préservatif, le palpe. Les bouts de ses doigts s'en trouvent rougis.

— Non, mais quelle est cette idée ? demande-t-elle encore.

Et en rigolant, elle porte les doigts à sa langue pour goûter.

— Je n'en reviens pas, ça goûte vraiment la cerise !

Et elle goûte encore, amusée.

— Je...

Olivier ne saura jamais ce qu'elle allait ajouter. Les yeux de la belle savante se mettent à cligner, un voile invisible s'étend sur son visage, sa tête dodeline.

— Ça ne va pas ? demande Olivier.

Shiva ne répond plus. Ses paupières se ferment. Olivier se dépêche de tendre les bras pour lui éviter de tomber trop lourdement. Il aide le corps devenu tout mou à s'étendre naturellement sur la couche. Shiva dort déjà comme un bébé.

Eh bien ! pense Olivier, *je n'espérais pas m'en tirer si facilement. Drôlement efficace, ce givron !*

Après une très brève pensée pour ce qui, dans un autre monde, eût été une fort belle occasion ratée, il s'empresse de fouiller les affaires de Shiva. Il a tôt fait de mettre la main sur les cartes qui servent à ouvrir les portes des laboratoires, puis il quitte en vitesse la pyramide de la belle endormie.

Chapitre 10

Olivier retrouve sans peine la porte par laquelle, plus tôt, lui et Shiva étaient sortis des laboratoires. En entrant par là, il évitera la salle de surveillance et ses gardiens. Il essaie la carte verte et la porte s'ouvre. Il pénètre dans le ventre de la montagne et s'avance avec précautions dans les couloirs rocheux. Tout lui semble plus silencieux qu'à sa première visite. Jamais de sa vie il ne s'est senti si tendu et si sûr de lui en même temps. Aucun doute, du sang d'espion coule dans ses veines. Il comprend son père. Il comprend que, comme lui, il aura toujours envie de revivre ce moment d'incomparable intensité où tous ses sens fonctionnent à la limite de leurs capacités.

Sa mémoire est parfaitement claire. Il remonte les couloirs aux murs crayeux comme s'il en avait le plan sous les yeux. Il arrive à une première porte que Shiva avait ignorée. Elle s'ouvre avec la carte blanche et donne sur une salle obscure. Il fait deux pas et sursaute, la lumière s'allume. Sans doute grâce à un détecteur de mouvements... Déception ! La salle est pour ainsi dire vide.

Des fils pendent, quelques caisses reposent sur le sol. Il ne les ouvre pas et continue son inspection. Quelle carte utiliser ? La blanche ne lui révélera rien d'intéressant. La rouge n'a pas encore servi. Le rouge, d'habitude, avertit de quelque chose. Se pourrait-il que ce soit si simple ? Pourquoi pas. Ce ne serait pas la première fois que des dispositifs sophistiqués répondent à des codes banals.

Il continue et ne rencontre âme qui vive. Cette absence l'inquiète un moment, mais après tout, il commence à se faire tard. Même les plus dévoués disciples doivent dormir. Il parvient à une autre porte que Shiva n'a pas voulu ouvrir. Il se souvient d'une tension dans son refus. Là, il doit y avoir quelque chose d'intéressant ! Il introduit la carte rouge dans la fente, et son intuition s'avère juste.

La salle est déjà éclairée. Tout le fond est occupé par une longue console en forme de fer à cheval, avec des écrans, des boutons, des manettes et une multitude de voyants, tous éteints. Au centre de la console, une grande vitre semble donner sur une autre salle.

Ma foi, on dirait la salle de contrôle d'une petite centrale nucléaire. On est loin des fleurs et des petits oiseaux !

Olivier s'avance vers la vitre, déplace un fauteuil à roulettes vide et se hisse sur le bout des pieds... Oh ! La fenêtre donne sur une cavité ovoïde, vaste et profonde, bien éclairée, avec au centre, installée comme l'étaient en leurs temples les divinités anciennes, une sorte de chaudière à la tuyauterie foisonnante, inerte et menaçante, attachée à de gros fils qui s'enfoncent dans la paroi droite de la cavité.

Je renonce à tous mes diplômes, s'exclame intérieurement Olivier, *si cet animal n'est pas un modèle réduit de réacteur nucléaire !*

Son regard suit les fils et revient dans la salle. À droite, une porte. Il s'en approche, glisse la carte rouge dans la fente, et cela fonctionne encore ! Le spectacle est tout aussi étonnant.

Cette nouvelle salle semble pleine d'une seule et unique machine, composée de bobines de fil de cuivre reliées entre elles par d'autres fils, et tous ces spaghettis cuivrés convergent vers une sorte d'anneau qui coiffe le tout, un anneau identique en miniature à celui qui entoure l'île. De cet anneau tubulaire d'environ trois mètres de diamètre, d'autres fils encore, plus gros ceux-là, et gainés de noir ou de blanc, percent le plafond et sortent sans doute de la montagne pour aller rejoindre le grand anneau. Au centre de cet invraisemblable appareil, il y a juste assez d'espace pour que deux ou trois personnes puissent se mouvoir à l'aise, sans doute pour procéder aux réglages.

Olivier n'entre pas. Pourtant, la machine est silencieuse, inactive, mais il n'y reconnaît rien et s'il n'a pas vraiment peur, il est drôlement intimidé.

— IMPRESSIONNANT, n'est-ce pas, DOCTEUR MORIER ?

Olivier est pétrifié ! La voix affreusement réelle a jailli derrière et lui est entrée dans le dos comme une lame. C'est une voix d'homme, une voix familière et pourtant lointaine, une voix qu'il n'aime pas. Est-il en train de perdre la raison ? Rêve-t-il ? Va-t-il se réveiller ? Comme un animal terrifié, il ne peut qu'attendre, immobile.

— Mais RETOURNEZ-vous DONC, mon garçon ! Vos SENS ne vous TROMPENT pas, c'est bien MOI !

Olivier se retourne lentement en essayant de maîtriser sa respiration. Il se rappelle une recommandation de son père : « Aussi catastrophique que puisse sembler une situation, ne la laisse pas te dominer. Garde confiance dans les événements, dans la vie, et surtout, confiance en toi ! »

Facile à dire ! Depuis son arrivée dans l'Arche, il va de surprise en surprise, mais celle-là dépasse de quelques années-lumière toutes les autres. L'homme qui a parlé et qui maintenant le regarde avec un sourire narquois, après avoir renvoyé sur son front une mèche grise, c'est bel et bien son patron !

— Professeur Séquent !

— Eh oui ! C'est bien MOI, mais ICI on m'appelle BARJAVEL.

Le professeur n'est pas seul. Derrière lui, menacent quatre disciples qui, malgré leur robe verte, n'ont pas du tout l'air de jeunes filles. Olivier est coincé. Toute tentative de fuite serait vouée à l'échec. De toute façon, Olivier déduit qu'il va en apprendre beaucoup s'il se tient tranquille.

— Qu'est-ce que vous faites ici, professeur ? se contente-t-il de demander.

— Oh ! MAIS ce serait PLUTÔT à moi de VOUS poser cette question, SI je n'en connaissais DÉJÀ la réponse. Il FAUT que je vous DISE, mon pauvre PETIT Olivier, que nous SAVONS parfaitement pourquoi vous êtes ICI, que nous le SAVONS depuis le DÉBUT. Voyez-VOUS, entre la BRUSQUE visite de votre PÈRE à l'université et VOTRE étonnante présence aux côtés de GABRIEL, quelques heures plus TARD, dans l'avion, il

143

y avait un LIEN facile à établir. Bien SÛR, l'ANGE a bien ESSAYÉ de brouiller les pistes, MAIS votre organisation IGNORAIT que je suis DISCIPLE de Maneïdhou depuis DES années, et je me suis BIEN gardé de le RÉVÉLER aux acolytes de votre PÈRE.

— Un savant tel que vous, dans une secte !

— Cela PEUT paraître contradictoire EN EFFET répond le professeur Séquent, toujours sensible à la flatterie. MAIS n'est-il pas du DEVOIR de tout généticien de se TROUVER dans le LIEU où le monde va RECOMMENCER ? C'est D'AILLEURS pour cette raison que NOUS vous avons laissé VENIR.

— Ne me dites pas que vous croyez, vous aussi, que la fin du monde est pour cette semaine ?

— Je n'y crois PAS, je le SAIS ! Mais nous allons VOUS expliquer tout CELA dans quelques INSTANTS, ET dans un cadre PLUS approprié. VEUILLEZ nous suivre.

Olivier obtempère et, bien encadré par les disciples costauds, il marche en n'oubliant pas d'enregistrer le chemin dans sa mémoire. Ils arrivent bientôt dans une salle dont la porte est déjà ouverte. À l'intérieur, autour d'une table ovale, sont assis Maneïdhou en personne, Giovanni Cacciatore, dit Gabriel, et, à la surprise d'Olivier, Sarah

Stein, dite Shiva, les yeux exorbités, avec, devant elle, une écuelle de boisson chaude.

— C'est quand même dommage... marmonne-t-elle en regardant entrer Olivier. J'espère que nous aurons l'occasion de remettre ça. Vous ne le regretteriez pas... suis sûre...

— Vous nous avez fait peur, monsieur Morier, si cela peut vous réconforter, intervient Gabriel. Nous avons bien cru ne pouvoir réveiller cette pauvre Shiva avant plusieurs heures, ce qui eût été fâcheux dans les circonstances. Vous avez même forcé notre admiration. Nous ne pensions vraiment pas que vous découvririez le cœur de nos installations. En fait, nous n'avions d'autre projet que de rendre votre séjour ici des plus agréables, et Shiva était bien prête à y contribuer généreusement, afin que vous vous trouviez ici au moment de la fin du monde.

— ... une fin du monde que vous espérez provoquer, n'est-ce pas ? intervient Olivier.

— Vous comprenez vite.

— Espérer, non ! coupe Shiva, qui semble retrouver ses couleurs, ce n'est pas un espoir, c'est une certitude. En ce moment même, le réacteur nucléaire est mis en activité. Dans quelques heures, nous disposerons de l'énergie suffisante pour produire « la vague de l'Apocalypse », comme je l'appelle. Une fois le processus enclenché, en moins d'une journée, il n'y aura plus sur terre une seule molécule de métal qui ne sera pas hyper magnétisée. Les villes vont voler en éclat, les montagnes vont se fendre, les continents vont trembler.

— Êtes-vous bien sûre que nous n'y passerons pas aussi ?

— Non, le cercle de la vague se fermera à l'exact antipode de l'Arche. Il s'y formera une immense montagne à partir de tous les résidus compressés à l'extrême, une masse invraisemblable. Ici, grâce à l'énergie de notre réacteur, nous pourrons émettre pendant des siècles une vague infiniment plus faible que celle de l'Apocalypse, mais suffisante pour repousser les effets secondaires qui se feront sentir pendant un temps indéterminé. Nous serons comme dans une bulle.

Shiva parle avec exaltation. Olivier tente une sortie vers la raison.

— Je ne te comprends pas. Toi qui es Juive, comment peux-tu sacrifier ainsi toute la population de la terre ?

— Je suis Juive, justement. Je porte en moi l'expérience millénaire de la méchanceté humaine. Chaque génération pousse plus loin les limites de l'horreur, et le pire des holocaustes n'est jamais le dernier. Il faut en finir.

— Et vous croyez que l'humanité qui survivrait ici serait meilleure ?

— CELA, ce sera NOTRE rôle, intervient le professeur Séquent, alias Barjavel. Vous SAVEZ que tout ce que nous SOMMES est programmé dans notre CODE GÉNÉTIQUE. Une fois que nous aurons TROUVÉ les gênes de la CRUAUTÉ, nous pourrons les ÉLIMINER.

— Peut-être, mais cela risque d'être long, très long...

— Vous avez pu voir, au cours de votre première visite, que nous avons gardé les restes de Siméon Louis. Cet homme était absolument pacifique.

C'est Maneïdhou qui parle pour la première fois.

— Il faut parfois beaucoup de temps pour comprendre comment le créateur agit sur le monde, poursuit-il. Il m'a depuis longtemps averti que la fin du monde arriverait vers l'an 2031, soit deux millénaires après le début de l'ère chrétienne. Cette ère a débuté quand le Christ a commencé à prêcher et non avec sa naissance. Je n'ai pas compris aussi vite que la fin du monde, c'était moi qui devais la provoquer. Vous aussi, mon jeune ami, vous comprendrez, petit à petit, quel est votre rôle dans la renaissance du monde, car il convient maintenant que nous cessions de parler de fin pour parler de commencement.

— Mais, nous ne sommes pas encore en l'an 2031. Il reste au moins vingt-quatre heures !...

— Oui, dit Gabriel, mais votre père nous force à prendre un peu d'avance sur le programme.

— Mon père ! Comment ça ?

— Elle est absolument remarquable, la bible de votre grand-mère ! explique Gabriel avec ironie, en posant l'objet sur la table. Je ne crois cependant pas que vous ayez eu le temps de lire le dernier message. Il provient de votre père. L'ANGE a découvert notre projet et travaille, en ce moment même, à mettre sur pied une force multinationale d'intervention, dans le but d'envahir l'Arche.

— PÈRE ! Dites-moi que tout cela n'est qu'une sombre plaisanterie !

Tout le monde a sursauté, Olivier le premier dont le cœur s'est mis à battre à tout rompre. Ève est debout dans l'embrasure de la porte, les yeux pleins d'eau, mais plus belle encore.

Elle entre. Amon entre à sa suite.

— J'ai tout fait pour la retenir, Prophète, s'excuse-t-il, mais vous nous avez ordonné de ne pas la toucher.

— Laissez, Amon.

Ève fait le tour de la table. Elle est dressée devant son père, droite, ferme, tragique, et c'est cela qui donne à sa beauté une autre dimension. Olivier en est plus amoureux encore.

— Père, je veux des explications !

Olivier n'a jamais entendu le verbe vouloir conjugué avec tant de force. C'est un présent de l'indicatif, dans la forme, mais c'est un impératif dans le ton. Le grand Maneïdhou, le prophète de la fin du monde, le bâtisseur de l'Arche du millénaire, ressemble tout à coup à un homme bien ordinaire.

— Des explications ? À quel propos ? demande-t-il, mal assuré.

— Sur la mort de ma mère, par exemple !

— Mais... je t'ai tout dit.

— Non, vous ne m'avez raconté que des mensonges. Pourquoi m'avez-vous toujours caché que ma mère a été assassinée ?

Le silence s'abat sur la petite assemblée. Amon, Gabriel et Barjavel se regardent et baissent les yeux. Shiva semble stupéfaite par cette révélation, et Maneïdhou cherche quelque chose à répondre.

— Qui est-ce qui t'a raconté cela ? Lui ? demande-t-il en tournant les yeux vers Olivier.

— Non. Mais quelle importance ? Je veux savoir pourquoi !

— Eh bien !... expliquer à une petite fille que sa mère a été assassinée, cela me paraissait délicat, dangereux même, pour son équilibre.

— Je ne suis plus une petite fille !

— Bien sûr que non, mais pardonne-moi de ne pas avoir eu la force de te révéler...

— Quand je saurai tout, je verrai bien si je dois vous pardonner. Que s'est-il passé ? Qu'avez-vous fait à ma mère ?

— Mais pourquoi crois-tu que j'y sois pour quelque chose ?

— Je le sens.

— De toute manière, ma petite princesse, ce n'est pas le moment.

— Parce que vous vous apprêtez à détruire le monde ?

— Moi, non. Je ne suis qu'un instrument.

— ... comme vous avez été l'instrument de la mort de ma mère !

— Mais qu'est-ce que tu vas chercher là ? Tu es sous le coup d'une grande émotion, ma chérie. Je répondrai à toutes tes questions, mais il faut d'abord que tu te reposes.

— Je me sens très bien, au contraire. Cessez de décider pour moi !

Mais Maneïdhou n'écoute plus. Il fait un signe de l'œil à Gabriel qui le transmet aussitôt à un des disciples costauds. Celui-ci s'approche doucement d'Ève.

— ATTENTION ! crie Olivier.

Il se jette en avant pour plaquer le taupin, mais les autres l'agrippent et l'immobilisent. Il assiste impuissant à la vaine résistance d'Ève contre l'effet d'un tampon imbibé de chloroforme qu'on lui applique sans ménagement sur la figure.

Olivier est hors de lui.

— Vous n'avez pas le droit... Je vous interdis de lui faire du mal.

— Vous interdisez, maintenant ! persifle Maneïdhou. Avec quoi, dites-moi ? Écoute-moi bien, mon petit garçon, ajoute-t-il en fixant un regard menaçant sur Olivier, je ne sais pas ce que nous allons faire de toi. Tu peux être très utile, si tu veux, mais quoiqu'il arrive, fais-toi bien à l'idée qu'Ève est une intouchable.

— Elle vous appartient, peut-être ? crâne Olivier.

— Elle appartient à l'avenir.

— Tiens, vous voilà redevenu prophète, espèce de vieil escroc !

Olivier ne sait plus très bien s'il agit par stratégie ou sous l'impulsion de la colère, mais la provocation semble donner quelque résultat. Maneïdhou parle encore et en dit sûrement plus qu'il ne le voudrait.

— Ève sera la mère de la nouvelle humanité ; elle sera fécondée par mon sperme, dans lequel on aura inoculé l'ADN de Siméon Louis.

Olivier est abasourdi.

— Vous êtes un monstre !

Maneïdhou reprend la situation en main.

— Vous aurez bien le temps de réviser votre jugement. En attendant, nous avons d'autres affaires à régler. Shiva, êtes-vous en état de lancer l'opération ?

— Je crois bien que oui. De toute façon, il le faut.

Elle se lève et sort comme un zombie. Olivier est sûr qu'elle est ébranlée, mais c'est sans doute l'effet des drogues qu'on lui a fait prendre pour neutraliser celui du givron.

Maneïdhou donne ses ordres.

— Vous enfermez ce jeune homme quelque part. Quant à Ève, qu'on lui fasse une injection et qu'on aille la coucher dans sa pyramide. Nous la réveillerons quand tout sera fini. Et nous, messieurs, si nous montions au sommet pour assister au spectacle de la fin du monde... Il ne faudrait pas rater cet événement unique, n'est-ce pas ?

Et joignant les mains comme pour une prière, il émet un rire bref et cruel.

Chapitre 11

Lex Coupal est furieux. Pour la première fois, il a l'impression que ni son regard ni le timbre magique de sa voix ne font leur effet. C'est une impression justifiée. Le petit homme assis à son bureau, raide comme un soldat de plomb, ne l'écoute pas et se contente de faire non de la tête.

— Mais enfin, je ne vous demande pas grand-chose, rien qu'un hélicoptère et un pilote !

— Ce « pas grand-chose », Monsieur, coûte au bas mot cinq millions de dollars. Et puis, c'est beaucoup trop risqué. Tout seul, vous feriez une cible trop facile.

— Je vous répète qu'il n'y a pas d'armement conventionnel dans cette île.

— On ne peut en être absolument certain.

— Non, mais ce dont je suis certain, c'est que mon fils s'y trouve et que je veux aller le chercher...

— Votre fils a accepté de plein gré sa mission, et vous savez mieux que moi que la récupération des agents en danger ne doit être envisagée que lorsque les conditions d'intervention sont idéales. De toute façon, demain matin, nos troupes occuperont l'île et votre fils sera libéré.

— J'ai donné rendez-vous à mon fils, sur cette plage, à l'aube ! martèle Lex Coupal en pointant du doigt un point de l'écran géant qui représente la région de l'Arche dans ses moindres détails, et sur laquelle sont bien visibles les mouvements des forces déployées.

— Mais vous ne pouvez même pas être certain qu'il ait reçu votre message... Je comprends très bien vos préoccupations, mais de mon côté, mon ordre de mission est très clair, or vous n'en faites pas partie !

Lex Coupal perd patience. Il s'approche et fait mine de se pencher au-dessus du bureau. Le petit homme le regarde, inquiet.

— Monsieur Coupal...

Lex Coupal glisse la main à l'intérieur de sa veste et en sort son pistolet, dont il ne s'est jamais servi ailleurs que dans les salles d'exercice, mais cela, le petit homme n'a pas à le savoir. Lex s'assoit avec un calme glacial dans un des deux fauteuils destinés aux visiteurs, sans cesser de pointer son arme vers son interlocuteur terrifié.

— Monsieur Coupal...

— Boucle-la et écoute-moi bien, espèce de petit rond-de-cuir constipé, ou bien tu me trouves vite fait un hélicoptère et un pilote, ou bien tu ne sortiras pas vivant d'ici.

— Monsieur Coupal...

Mais le petit homme ne sait plus quoi dire, car il se rend bien compte que Lex Coupal a pesé chacun de ses mots.

Chapitre 12

Olivier avance, bien encadré par quatre disciples dont la mine n'encourage pas la conversation. Ils ne l'ont pas bousculé, mais Olivier sent qu'ils n'hésiteraient pas à employer la force si nécessaire, une force certainement beaucoup plus importante que la sienne. S'offrent deux possibilités : soit se laisser enfermer et trouver ensuite un moyen de s'évader, soit tenter tout de suite le grand coup. Comme il ne sait pas où on l'emmène et qu'il tient à rester dans les laboratoires, il opte pour la deuxième solution.

Il s'arrête tout à coup de marcher en poussant un petit « Oh ! », comme s'il venait de subir un malaise. Ses gardiens avancent les bras pour le soutenir. Olivier regarde ses pieds, colle ses souliers l'un contre l'autre, comme il l'a appris, claque les talons et plonge, écartant brusquement deux des gardiens surpris. Ils sont vifs à réagir, mais déjà un sifflement insupportable se fait entendre et un nuage blanchâtre envahit le couloir. Olivier court à toutes jambes, laissant derrière lui une dernière traînée de givron. Ses gardiens essaient de se lancer à sa poursuite, mais ils titubent comme des ivrognes, se heurtent les uns aux autres et tombent finalement au sol, emportés dans un sommeil séraphique.

Olivier s'arrête. Il est maintenant assez loin pour ne plus craindre les effets du gaz. Il lui faut attendre que toute vapeur soit dissipée avant de rebrousser chemin. Personne n'a pensé à lui vider les poches. Il prend son stylo dans son portefeuille. Si quelqu'un se présente, il n'hésitera pas à le mettre au repos forcé.

Dès que la voie est libre, il enjambe les corps de ses gardiens ronflants et court vers la salle où a eu lieu la confrontation avec Manneïdhou. La porte est ouverte, il s'approche à pas de loup. Ève est étendue sur la table. Deux disciples sont à son chevet, dont un règle la dose d'une seringue.

En apercevant Olivier, il met un court moment à réagir, trop long cependant, car le jeune homme le canonne dans le ventre avec son stylo. Le disciple fait une courte grimace et ses yeux se révulsent comme s'il cherchait à voir l'intérieur de son crâne. Et tombe à la renverse.

L'autre, le dos tourné, préparait une civière pour transporter Ève. Il entend la faible détonation du stylo et la chute de son camarade, mais à peine songe-t-il à se retourner qu'il sent comme une piqûre de guêpe dans le dos. Il prend à son tour congé du monde de la conscience.

Olivier s'approche de la table sur laquelle Ève commence à donner des signes de réveil. Elle ouvre les yeux. Le visage d'Olivier lui apparaît d'abord à travers un irréel brouillard.

— Embrasse-moi ! dit-elle.

Cette demande décontenance Olivier.

— Embrasse-moi, répète-t-elle en levant les bras pour agripper son cou.

Olivier, bien qu'il ne soit pas certain qu'Ève ait retrouvé toutes ses facultés, ne trouve aucune défense contre une si tendre agression. Le baiser dure si longtemps que c'en est presque dangereux, dans les circonstances.

— Tu m'aimes vraiment ? demande-t-elle enfin en reprenant son souffle.

— Je n'ai jamais aimé personne comme je t'aime.

— Je te crois.

— C'est merveilleux. J'ai eu vraiment peur que tu m'en veuilles, mais tu comprends que je ne pouvais pas faire autrement.

— Il faut que tu sois sincère, Olivier, sinon ça voudrait dire qu'il n'y a rien de vrai nulle part.

— On ne se quitte plus, je te le jure, mais il ne faut pas rester ici.

— Il faut empêcher mon père d'exécuter son plan.

— Vraiment, tu m'aiderais, contre lui ?

— Je ne savais rien de ce plan diabolique, peu de gens sont au courant. Si tu n'étais pas intervenu, nous aurions vraiment cru que la fin du monde serait arrivée naturellement. Et puis, il est peut-être mon père biologique, mais il a tué ma mère...

— Ce n'est pas prouvé.

— J'en suis sûre, je le sens... Mais qu'est-ce qu'on peut faire ?

— Je sais où se trouve le réacteur ; allons-y et... on verra.

Les deux amoureux quittent la pièce en courant après s'être assurés que les couloirs sont déserts. Il semble que seuls les disciples initiés soient admis à l'intérieur de la montagne en ce moment, et probablement qu'ils ont tous des tâches précises à accomplir. Les nouveaux complices parviennent sans encombre à la salle du réacteur où la porte ouverte n'est pas gardée.

À l'intérieur, une demi-douzaine de personnes s'affairent à la console qui scintille maintenant comme un décor de Noël. On perçoit un grondement inquiétant qui semble monter du cœur de la montagne.

À droite, la porte qui donne sur la machine infernale est ouverte aussi, et on aperçoit Shiva, debout, qui suit attentivement sa mise en marche. Elle actionne de temps en temps un bouton ou une manette. Personne ne remarque les deux jeunes gens tant l'atmosphère est fébrile. Sur un grand écran, monté à gauche de la console, apparaissent Maneïdhou et ses compagnons. Le gourou parle tandis que la caméra change de champ pour montrer l'anneau qui entoure l'île et surtout l'océan qui devrait s'agiter sous peu. Maneïdhou est en train de tourner le film de la fin du monde, décrit et commenté par le prophète lui-même !

Fatalement, quelqu'un finit par ressentir une présence importune, se retourne et laisse partir une onomatopée sonore. En un instant, Ève et Olivier sont devenus le point de convergence de tous les regards étonnés.

« À la machine !... » souffle brièvement Olivier à sa compagne. Les disciples présents sont des techniciens, non des guerriers. Avant de réagir, Olivier bouscule Shiva, tandis qu'Ève les enferme en claquant la porte avec une puissance dont on ne l'aurait pas crue capable.

Olivier, le stylo toujours à la main, le plante dans le ventre de Shiva.

— N'essaie pas de résister, sinon je t'envoie encore au dodo.

— Non, dit-elle, n'ayez crainte.

Shiva semble abattue, résignée.

— Je vais te faire confiance, dit Olivier.

— Tu es sûr ? demande Ève.

— Non... mais elle connaît la machine.

— Vous n'avez rien à craindre de moi, reprend Shiva. J'étais folle...

Et soudain, elle porte les mains à ses tempes, son visage prend une expression horrifiée et elle se met à pleurer.

— Qu'est-ce que j'ai fait, mais qu'est-ce que j'ai fait là ?

— Calmez-vous.

— Mais vous ne vous rendez pas compte, j'ai déclenché la fin du monde ! Des milliards de gens vont mourir à cause de ma stupidité.

— Pour l'amour du ciel, calmez-vous ! Nous allons l'arrêter, cette damnée machine !

Sarah Stein, à bout de nerfs à cause de toutes les drogues ingurgitées dans les dernières heures, et qui semblent paradoxalement avoir ramené son esprit à la réalité, renifle un bon coup et dit :

— Pas possible.

— Comment, pas possible ?

À ce moment, on entend de grands coups frappés de l'autre côté de la porte qui ne bronche pas.

— Ils veulent entrer ! constate Ève.

— Je ne pense pas, rétorque Sarah Stein. Ils veulent plutôt nous empêcher de sortir. D'ici, on ne peut rien faire. C'est le réacteur qui commande la machine. La seule façon de l'arrêter, ce serait de couper l'alimentation.

— Et ces manettes, et ces boutons, à quoi servent-ils ? interroge Olivier.

— Ce ne sont que des commandes pour empêcher la machine de s'emballer... et elle ne s'emballera pas, hélas ! Elle marche mieux encore que je ne l'avais prévu.

— Si on la démolit, suggère Ève, elle finira bien par s'arrêter.

— Oui, mais regardez. Voyez la dimension des fils, des boulons ; cette machine a été conçue pour durer mille ans. Il faudrait des heures pour la neutraliser.

— Et de combien de temps disposons-nous ?

— Je ne peux pas le dire exactement, sûrement pas plus qu'une demi-heure.

— Ce n'est pas assez, c'est évident, reconnaît Olivier. À moins que la force d'intervention de l'ANGE n'arrive à temps.

— Effectivement, il suffirait que l'anneau magnétique qui entoure l'île soit brisé en un endroit pour qu'absolument rien ne se produise. Voyez-vous, cet anneau contient un très mince fil de magnélite, une substance que j'ai découverte et qui a la particularité de demeurer neutre jusqu'à un degré très élevé d'exposition à un champ magnétique, mais ce degré franchi, il change radicalement de comportement, et non seulement se polarise-t-il, mais il amplifie l'effet. Ce qui se passe dans toutes ces bobines, actuellement, c'est la construction d'un puissant champ magnétique. Cet anneau, au-dessus de nous, est une réplique exacte du grand anneau. Il contient lui aussi un filin de magnélite. Quand le degré sera atteint, il agira un peu comme un préamplificateur et enverra d'un coup une formidable charge dans le grand anneau qui la multipliera à l'infini, jusqu'à ce qu'on diminue l'alimentation énergétique. Mais il faut que le champ tourne dans l'anneau, vous comprenez ? Si le circuit est interrompu, il ne se passera rien.

— On peut toujours espérer que les gens de la force d'intervention auront le réflexe de briser l'anneau.

— Ils arriveront trop tard, dit Ève.

— Comment le sais-tu ?

— J'ai lu le message de ton père. Je suis allé dans ta pyramide pendant que tu étais avec madame, et j'ai tout compris. Toujours est-il que la force d'intervention arrivera après le lever du jour. Il faut aussi que je te dise qu'il te donne rendez-vous à l'aube, sur la plage.

— Rendez-vous ? Pourquoi ?

— Il vient te chercher. Il craint que l'intervention ne tourne à la tragédie.

Olivier pense à son père, à sa mère et il évalue que ses chances de retrouver un jour le monde qu'il a quitté sont terriblement minces. Il lève les yeux vers cet anneau qui, sans que cela paraisse, se charge d'une énergie qui bientôt déferlera sur le monde pour le détruire.

— Et si on faisait sauter le petit anneau ?

— Ce serait une solution, dit Sarah Stein, mais avec quoi ?

— Avec ma montre ! dit-il en tendant son poignet.

— Avec une montre ? Comment ?

— Croyez-le ou non, il y a une bombe, là-dedans !

— Vraiment ?

— Du moins, c'est ce qu'on m'a dit...

— Si c'est aussi efficace que les préservatifs à la cerise, dit Shiva avec une fraction de sourire, vous pouvez avoir confiance.

— Mais est-ce que c'est puissant, comme bombe ? demande Ève.

— Assez pour faire sauter une porte. Nous pourrions nous en servir pour sortir d'ici, mais je pense que nous risquerions de nous retrouver prisonniers. Non, il faut briser l'anneau.

L'anneau est accessible par des échelons, comme chacune des composantes de la machine d'ailleurs. Le diamètre de l'anneau équivaut à peu près à celui d'un poignet d'homme. Olivier retire sa montre et procède au réglage. La montre répond à merveille. Il se hisse ensuite jusqu'à l'anneau et y fixe la montre. Il se laisse ensuite tomber au sol.

— Abritons-nous vite, nous avons vingt secondes.

Il observe qu'il aurait dû prévoir ce détail avant de passer à l'action. *Elle manque encore un peu d'expérience, la recrue !* songe-t-il, se tournant lui-même en dérision. Où s'abriter ? C'est finalement Shiva qui les pousse dans le coin le plus éloigné.

— Tassez-vous ! crie-t-elle, en étendant les bras sur eux pour former de son propre corps un bouclier. Si quelqu'un doit y passer, que ce soit moi !

Tant Ève qu'Olivier voudraient protester, mais les secondes s'égrènent inexorablement. 7, 6, 5, 4, 3, 2, 1... Rien ! On recommence à 5, 4, 3, 2, 1... Toujours rien. Attendre encore un peu. Olivier s'est peut-être trompé dans le réglage.

— Je vais voir ! dit-il finalement.

— Non ! supplie Ève.

— Il le faut.

— J'y vais, moi, décide Sarah Stein.

Elle grimpe. Sans la défaire d'abord, elle regarde la montre.

— Elle est morte !

— Morte ?

— Plus rien... éteinte !

— Évidemment, explique Sarah Stein. J'aurais dû y penser, c'est l'effet du magnétisme.

Elle redescend avec la montre.

— Tiens, ici, elle s'allume à nouveau.

— Elle ne va pas nous sauter au visage ?

— Non. Tous les réglages sont annulés. Je pense qu'elle n'est plus bonne à rien.

— Il y a une autre solution, pense tout haut Shiva. La machine est divisée en deux secteurs qui correspondent aux pôles Nord et Sud. Si on pouvait relier ces deux secteurs, je suis sûre que la machine s'enrayerait d'une manière ou d'une autre.

— Ça ferait une sorte de court-circuit ?

— Exactement... Mais il faudrait tendre entre les deux parties un fil de matière conductrice.

— Ne me dites pas qu'il n'est pas resté un bout de fil de cuivre quelque part dans un coin.

— Sûrement pas, affirme Sarah Stein. Cette salle est aussi propre que... mais elle se tait brusquement.

Le grondement qu'on entendait vient d'augmenter de volume. On dirait que toute la montagne vibre.

— Nous sommes tout près, articule sinistrement Shiva, il sera bientôt trop tard.

— Nous ! s'exclame Olivier, nous-mêmes, nous sommes conducteurs, non ?

— Mais oui ! dit Sarah Stein. Oui, si on pouvait agripper solidement les deux secteurs avec une main, le courant magnétique traverserait le corps. Oui, ça devrait marcher, mais la distance est trop grande pour une seule personne.

— À deux ?

— Ça devrait marcher aussi. Je suis prête à faire ma part, mais je dois vous prévenir, je n'ai aucune idée des effets de l'opération sur les personnes... Ça peut être fatal... Moi, je m'en fous... mais vous ?

— Je n'ai pas le choix. Venez, dit Olivier en tendant la main à Shiva, faisons la chaîne.

Il n'en est pas question, intervient vigoureusement Ève. C'est moi !

— Allons, dit Sarah Stein, vous êtes si jeune !

— Olivier, dit Ève d'une voix tremblante en regardant son amoureux dans les yeux, Olivier, tu m'as juré qu'on ne se quitterait jamais. Si tu dois mourir, je veux mourir avec toi.

— Oui, mais...

— Il n'y a pas de oui mais... Nous n'avons plus de temps. Poussez-vous !

Ève pousse l'autre femme sans ménagement et prend la main droite d'Olivier dans la sienne. Elle passe l'autre main derrière sa nuque et attire sa bouche contre la sienne, le temps d'un baiser aussi bref que fulgurant. Si fulgurant qu'une sorte de détonation lente et puissante monte de la terre, un bruit qui vibre dans leur crâne à leur faire craquer les os. Sarah Stein ressent la même chose, et ce n'est pas l'effet du baiser. Le degré fatidique est atteint, c'est la fin du monde qui commence !

— Vite, hurle Ève, prends ton bout !

Et les voilà soudés à la machine. Sarah Stein assiste alors à un phénomène à la fois terrible et merveilleux. La machine se met à vibrer, comme si elle était secouée de frissons, et des éclairs rouges et bleus jaillissent de partout. Une aura violette entoure les corps d'Ève et d'Olivier avec une telle intensité qu'ils se mettent à luire comme des fantômes, comme s'ils étaient sur le point de se volatiliser.

— LÂCHEZ ! hurle la savante. Lâchez cette maudite machine ou vous allez mourir !

Ève et Olivier entendent sa voix comme si elle parvenait du bout du monde. Ils voudraient lâcher, mais c'est impossible. Ils voudraient tirer, s'arracher de la machine, mais leurs muscles ne répondent plus. Ils sentent leurs corps à la fois légers et immensément lourds, traversés par un puissant fluide qui les unit du plus profond de leur être.

Constatant l'impuissance du couple à réagir, Sarah Stein se précipite pour saisir leurs bras et essayer de les séparer. Son intervention produit un effet étrange, étonnant. À peine les a-t-elle touchés qu'elle pousse un cri affreux. Ses cheveux se dressent sur sa tête en projetant des éclairs multicolores. Son corps se soulève dans les airs comme celui d'une championne de saut en hauteur, puis retombe lourdement au sol, secoué de terribles spasmes. C'est comme s'il avait créé une déviation et absorbé tout le courant.

Les deux jeunes reviennent à la réalité comme on émerge d'un rêve. Ils n'ont qu'une conscience approximative de ce qui s'est passé. Ils regardent avec étonnement le corps tremblant de Sarah Stein qui émet encore sporadiquement des arcs électriques. Ève et Olivier se sont détachés en même temps de la machine, mais leurs mains restent soudées l'une à l'autre. Ils réussissent à se séparer, mais en forçant beaucoup. Toute la salle se met alors à trembler comme s'ils avaient libéré une énergie restée en eux. Ils s'occupent d'abord de celle qui les a sauvés :

— Madame Stein, qu'est-ce qui vous arrive ?

Elle a encore la force de parler.

— Partez... ne vous occupez pas de moi... Faites sauter cette porte... Sauvez-vous... C'est la fin de l'Arche...

Sa voix est chevrotante.

— Mais comment ? demande Ève angoissée.

— ...inversion du processus... courez...

— Nous allons vous aider, dit généreusement Olivier. Venez avec nous.

— Non... la fin pour moi aussi... faut payer... partez... s'il vous plaît !...

Malgré sa faiblesse, la voix de Shiva, alias Sarah Stein, s'est faite impérative, mais Olivier hésite toujours à l'abandonner.

— Attendez... souffle encore Sarah Stein. Prenez ceci... l'essentiel de mes travaux. Elle sort de sa ceinture une pastille de données. ...n'aurai pas été inutile... si vous vous en sortez.... Allez...

— Viens, presse Ève, on ne peut plus rien pour elle.

Ils s'approchent de la porte, mais comment faire ? Ils ont l'idée de réunir un peu leurs mains, et l'effet se reproduit. Olivier frappe la porte d'un coup du pied gauche. La porte se tord et s'arrache de ses gonds, puis dans un vacarme infernal, va choir dans le milieu de la salle du réacteur, où tous les techniciens, déjà affolés par une cascade de petites explosions qui agitent la console, se tournent, stupéfaits. Il y a de quoi être décontenancé ! Dans l'embrasure de la porte arrachée, deux amoureux, se tenant toujours par la main, ressemblent à des dieux auréolés de lumière !

Mais il n'y a pas de temps à perdre. Le couple traverse la salle et en sort sans que personne réagisse. Il s'engage dans le couloir et arrive bientôt à la sortie. Cette fois, c'est Ève qui envoie le coup de pied... et avec le même résultat !

— On dirait qu'on est devenu des super héros ! s'exclame Olivier.

— C'est quoi, un super héros ? demande Ève.

— Euh... Je t'expliquerai. Pour le moment, vite à la plage !

— Tu crois que ton père y sera vraiment ?

— Mon père ? Bien sûr, puisque lui, c'en est un vrai, super héros ! répond Olivier avec un clin d'œil.

173

Chapitre 13

Lex Coupal, au moment où Olivier et Ève quittent le cœur de la montagne, aimerait bien être un super héros et voler de ses propres ailes au secours de son fils. Il se rend cruellement compte qu'il n'est qu'un homme ordinaire, comme ce pilote d'hélicoptère effrayé qu'il essaie d'empêcher de rebrousser chemin.

— Jamais vu une tempête comme ça ! hurle le pilote. C'est pas naturel, pas question d'y aller !...

— Il le faut ! Il faut récupérer mon fils, comprenez-vous ? Imaginez que c'est le vôtre.

— Justement, j'en ai un aussi, et une fille en plus, et je tiens à les retrouver, moi aussi !...

Il faut reconnaître que ce qu'ils voient n'est pas du tout rassurant. Malgré un lever du jour radieux qui illumine la montagne de l'Arche, la mer environnante est agitée de vents violents qui soulèvent d'énormes vagues, tandis que de spectaculaires éclairs, contre toute vraisemblance, jaillissent des flots. Pourtant, encore à distance respectable, l'hélicoptère est secoué comme un cerf-volant et le pilote éprouve toutes les peines du monde à maintenir une ligne de vol un tant soit peu ordonnée. Lex Coupal se rend compte qu'il n'arrivera à rien par la persuasion. Il agit alors comme un vulgaire espion de série B :

— Vous voulez retrouver vos enfants ? Alors, allons chercher mon fils, sinon ce sera à jamais impossible pour vous. Je me fais bien comprendre ?

Le pilote comprend en effet, fortement aidé par le canon du pistolet que Lex Coupal appuie fermement sur son casque.

— Vous êtes fou ! crie-t-il rageusement, en faisant pivoter l'hélicoptère en direction de l'Arche.

— Montez le plus haut possible, lui recommande Lex Coupal. Je pense qu'on peut passer par-dessus cette chose...

Les perspectives ne sont guère plus rassurantes pour le père d'Ève, Maneïdhou, toujours perché sur sa montagne. Pourtant, les choses avaient bien commencé. Dans un abri construit expressément pour l'occasion, en forme de pyramide, cela va de soi, le prophète, la chevelure blanche agitée par la brise ronflante d'un puissant ventilateur, le professeur Séquent, forcé par la même brise de replacer constamment sa fameuse mèche, Amon, Gabriel, de même que quelques Éclairés, étaient jusque-là plus que satisfaits. C'est à peine s'ils avaient été contrariés d'apprendre qu'Ève et Olivier s'étaient libérés pour se retrouver enfermés dans la machine avec Shiva. De l'avis unanime, ils ne pouvaient rien y faire, et ils étaient aussi bien là qu'ailleurs.

De leur point d'observation, ils pouvaient voir la totalité de l'anneau et toutes les berges de l'île. À l'intérieur du cercle, les eaux semblaient un disque de platine, cerné par une tempête circulaire qui contrastait vigoureusement avec le ciel turquoise. Toute l'île vibrait sous eux. Déjà, l'Arche semblait coupée du monde, préfigurant l'ultime réalisation du rêve du prophète. Maneïdhou, à ce moment-là, n'était pas loin de croire vraiment qu'il était, sinon Dieu lui-même, au moins quelque chose d'approchant. Enfin, ce jour allait arriver, ce jour pour lequel il avait menti, volé, tué Siméon Louis d'abord, la mère d'Ève ensuite, qui ne croyait plus en lui... Enfin, ce jour allait prouver qu'il avait eu raison, et plus rien ne l'empêcherait de féconder sa propre fille, la chair de sa chair, et créer le nouvel Adam !

— Nous sommes à la première heure de la renaissance du monde ! clame-t-il d'une voix exaltée, tandis qu'un technicien, penché sur un appareil d'enregistrement, règle le son.

Mais les choses prennent vite une tournure imprévue. Normalement, les vagues auraient dû s'éloigner de l'Arche comme si cette île avait été un immense caillou jeté dans la masse non moins immense de l'océan, et de là, déferler sur la terre entière. Voilà qu'elles semblent figées, qu'elles bouillonnent tout autour de l'anneau dans des jaillissements effrayants, accompagnés d'éclairs et de grondements de tonnerre.

Et voilà qu'il commence à venter et que toute la végétation de l'île s'agite comme si la peur la gagnait, elle aussi ! Voilà que les vagues enjambent l'anneau comme si elles avaient changé d'avis ! Au lieu de jeter leur rage sur le monde, elles se retournent contre l'Arche qui leur a donné naissance !

Lex Coupal et le pilote de l'hélicoptère le voient très bien du haut des airs. On dirait que l'île est devenue le dévidoir de l'océan. Autour, il s'est formé un tourbillon semblable à celui de la vidange d'une baignoire. Le pilote voudrait encore rebrousser chemin, préférant une balle dans la tête plutôt que d'être bouffé par ce monstre invisible. D'autant plus que malgré toute sa puissance, l'hélicoptère ne peut résister à la formidable attraction qui le fait descendre inexorablement.

— Nous allons nous écraser !

— Faites des zigzags ! ordonne Lex Coupal.

Effectivement, en se déplaçant de gauche à droite, le pilote arrive à ralentir la chute. Mais pour combien de temps ?

— QU'EST-CE QUI SE PASSE ? hurle pendant ce temps dans un micro le professeur Séquent.

— On a perdu le contrôle ! répond une voix grésillante. Je ne sais pas comment ils ont fait, mais tout est en train de sauter. On s'en va.

— Restez à votre poste ! vocifère Amon, mais plus personne ne lui répond.

Le ciel au-dessus de l'île s'est obscurci comme lors d'une éclipse de soleil. Maneïdhou ne comprend rien lui non plus. Ses yeux sont quasiment sortis des orbites.

— C'est impossible ! crie-t-il à répétition.

Dans l'obscurité qui s'étend, on ne voit plus que des éclairs multicolores qui fendent les eaux déchaînées.

— Oh ! regardez ! s'exclame soudainement Gabriel, sa voix parvenant tout juste à dominer le tumulte. Regardez ! répète-t-il en pointant la plage du doigt.

Tout le monde se tourne, et cela en vaut la peine, car c'est peut-être la dernière vision qu'aura tout ce beau monde avant de mourir.

Sur le sable de la plage, deux jeunes gens courent, se tenant par la main, dans un invraisemblable halo de lumière, comme s'ils avaient été pris en chasse par un projecteur de scène. Malgré la distance, ils peuvent reconnaître Ève et Olivier, brillant d'une extraordinaire lueur qui les couvre comme un vêtement. Malgré le déchaînement des éléments, tout semble parfaitement calme près d'eux.

— Ève ! crie Maneïdhou, en plaçant ses mains en porte-voix. Ève, pardonne-moi !

— C'est lui, c'est lui ! crie exactement en même temps Lex Coupal là-haut, dans l'hélicoptère.

— Mais qu'est-ce que c'est que cette lumière ?

— Sais pas, mais descendez !

— Pour descendre, on descend ! répond le pilote, furieux. On va s'écraser !

Lex Coupal ne l'écoute pas. Il jette par-dessus bord l'échelle de secours.

Sur la montagne qui commence à craquer de toutes parts, Maneïdhou assiste au sauvetage de sa fille. Lui et ses compagnons ont entendu, puis vu l'hélicoptère, du moins ses phares.

Olivier et Ève aussi.

— Je te l'avais dit ! s'exclame joyeusement Olivier. Je suis sûr que c'est mon père.

Mais l'échelle n'est pas facile à attraper tant l'hélicoptère doit bouger pour éviter de s'écraser.

— On saute ! suggère Ève.

Sous le regard ébahi de tous les spectateurs, les jeunes gens, comme si de rien n'était, exécutent un bond de plusieurs mètres, si bien calculé qu'ils attrapent l'échelle au vol. Dès qu'ils la touchent, celle-ci s'illumine, et l'hélicoptère aussi, qui se stabilise comme par magie.

— Pincez-moi ! demande le pilote.

— Pas le temps ! répond Lex Coupal qui tire pour accélérer la montée de l'échelle et des jeunes gens qui ne semblent plus avoir de masse.

Enfin ils arrivent et pénètrent à l'intérieur. Lex Coupal fait le geste de prendre son fils dans ses bras...

— Non ! ne nous touche pas ! C'est très dangereux.

Lex Coupal reste hésitant.

— Pour l'amour du ciel, ne les touchez pas ! crie le pilote. Puisqu'il vous dit que c'est dangereux ! Et fichons le camp d'ici !

Il était temps, en effet. De gigantesques lames se jettent maintenant sur l'Arche avec une fureur apocalyptique. Heureusement, avec Olivier et Ève à son bord, qui ne se sont pas lâché la main, l'hélicoptère échappe à toute cette destruction. Il s'élève avec une aisance d'hirondelle.

— Oh ! s'écrie brusquement Ève. C'est affreux !

Et elle commence à pleurer. On vient de survoler le village. Les pyramides volent au vent comme de vieux papiers. Les disciples qui ont eu la chance, bien relative, d'en sortir à temps, courent dans tous les sens, affolés, pour être bientôt emportés par les flots déchaînés.

— C'est affreux, répète Ève en pleurant toujours. Je les connais, je les connais tous !

— On ne peut rien pour eux, dit Olivier avec toute la douceur dont il est capable.

— Ce n'est pas juste ! sanglote encore la jeune femme en serrant les dents.

— Non, réplique Lex Coupal, ce n'est pas juste, mais ça finit souvent comme ça, pour ceux qui veulent recréer le monde.

L'hélicoptère s'éloigne maintenant de l'Arche.

— Dis, Olivier, demande Ève calmée, sur la plage, tout à l'heure, tu n'as pas entendu comme une voix ?...

— Il m'a semblé, oui. Je dirais même que c'était la voix de ton père.

— Qu'est-ce qu'il disait ?

— Pardonne-moi ! je pense...

— Il me semble que c'est ce que j'ai entendu aussi.

Un bruit strident les détourne de leurs propos. Un avion de chasse tourne autour de l'hélicoptère. En bas, ils aperçoivent les navires de la force d'intervention de l'ANGE. Ils n'avancent plus. Pas très loin, apparaît une masse sombre, comme une tornade, une trombe, un cyclone immobile, confiné, mais épouvantable de violence.

— Dis-leur de rebrousser chemin tout de suite, sinon ils seront avalés, dit Olivier à son père.

Lex Coupal obéit à son fils et communique immédiatement avec ses supérieurs. Il a bien raison de le faire.

***

Dans les heures suivantes, le niveau des océans de la terre entière baissera de presque un millimètre. Ça ne se voit pas à l'œil nu, mais cela représente un inimaginable volume d'eau. Bien que l'importance du phénomène soit presque impossible à évaluer, les savants s'accorderont pour dire qu'une fraction de l'atmosphère terrestre a également été engloutie dans ce qui aura été l'Arche du millénaire. L'élimination de cette matière terrestre entraînera la plus formidable série de perturbations marines et météorologiques jamais observées. Jusqu'à la fin de l'été de l'an 2031, des ouragans démentiels déferleront sur toutes les régions du monde, des raz-de-marée ravageront des côtes jusque-là reconnues pour leur quiétude. Des banquises grosses comme des îles se détacheront de la calotte polaire et descendront jusqu'à l'équateur avant de fondre. Le champ magnétique situé dans le Nord du Canada se dissoudra de telle manière que la boussole qui, depuis quelque six siècles permettait aux voyageurs de trouver leur chemin partout dans le monde, deviendra un objet tout juste bon pour les musées. À maintes reprises, des ordinateurs et des réseaux de communications seront paralysés par des orages magnétiques. Des villes comme New York et Los Angeles seront privées de télévision pendant des jours. Ces catastrophes causeront un nombre effroyable de pertes de vie, même si elles ne sont rien en comparaison de ce qui aurait pu arriver. Comme une traînée de poudre, la conviction se répandra dans tous les pays que la fin monde est vraiment en train de se produire. Des nouveaux prophètes s'auto-proclameront, incitant les populations au repentir et à la prière. Les religions tradition-nelles connaîtront des hausses spectacu-laires de conversions ; les églises et les temples de toute confession seront assaillis par des fidèles hystériques.

Puis les choses se tasseront. Petit à petit, la planète retrouvera son équilibre. Alors sera révélé au monde l'étrange rejeton de ce formidable chambardement, la Boule de nuit !

Épilogue

La SPM file comme un éclat de soleil dans le firmament paisible de l'océan Indien. La Boule de nuit n'est plus qu'une bille sombre qui se noie dans l'horizon. Les touristes de la soucoupe, en général, trouvent qu'ils en ont eu pour leur argent. « Il faut voir ça au moins une fois dans sa vie ! » est une phrase qui revient régulièrement dans les conversations.

L'homme assis au fond, Lex Coupal, soupire comme soupire également la femme aux lunettes noires, Muriel, la mère d'Olivier. Elle aussi pense qu'elle devait voir cela au moins une fois dans sa vie. Mais il lui a fallu trois ans pour se décider. Ce n'était pas qu'elle manquât de temps et de moyens, c'était une question d'émotions.

Quand, quelques jours avant l'an 2031, elle avait mis Lex Coupal à la porte de son appartement en lui interdisant de revenir sans son fils, elle pensait intégralement ce qu'elle disait, et Lex Coupal n'était pas revenu, du moins pas tout de suite. Bien sûr, il avait réussi à tirer son fils, de même qu'Ève, de l'île de la fin du monde, mais les jeunes gens n'avaient jamais pu réintégrer la civilisation.

***

L'hélicoptère était revenu sans encombre à sa base. En réalité, jamais hélicoptère n'avait si bien volé. « C'est pas naturel ! » répétait constamment le pilote. C'est que son appareil filait à toute allure, même si le moteur tournait à son plus bas régime.

À la base, évidemment, on attendait le jeune couple et Lex Coupal contre qui une plainte avait été déposée. La dite plainte fut vite emportée par le vent déchaîné des événements qui ont suivi. L'hélicoptère descendait avec la légèreté d'une bulle de savon, et ses passagers apercevaient le comité d'accueil composé de deux douzaines de personnes, la plupart en uniforme. Elles étaient toutes groupées autour de deux ambulances dont les gyrophares tournaient comme des jouets, mettant un peu de vie dans la scène.

Lex Coupal descendit le premier, suivi de son fils qui tenait toujours la main d'Ève. Les jeunes gens avaient perdu leur luminescence depuis qu'ils avaient quitté l'environnement immédiat de l'Arche, et croyaient bien que leurs pouvoirs étaient disparus. À peine eurent-ils touché le sol qu'ils furent entourés comme des stars de cinéma.

— Pourquoi les ambulances ? Nous nous portons très bien.

— Il le faut, Olivier, dit son père. Au retour de ce genre de mission, on procède toujours à une mise en quarantaine et à des examens médicaux complets. Si tout va bien, ce ne sera pas très long avant que vous ne vous retrouviez.

— Ah non ! protesta Ève qui venait de voir le monde de son enfance englouti dans le vide. Je ne veux pas quitter Olivier.

— Ni moi quitter Ève.

— Soyez raisonnables, ce sera l'affaire de deux jours au plus. Faites-moi confiance, je veillerai personnellement à ce que tout se passe rapidement.

Olivier et Ève avaient échangé un long regard dans lequel la résignation avait finalement pris le dessus sur les autres sentiments. Comment ne pas faire confiance à Lex Coupal ?

Mais leurs mains ne voulaient pas se lâcher. Il leur avait fallu tirer, s'arracher l'un à l'autre. Ce n'est pas que cela avait été si difficile, mais seulement drôle.

— Attention de ne pas tomber ! Il faut tirer ensemble...1...2...3...

Et cela avait cédé tout d'un coup. Ils s'étaient retrouvés séparés de deux ou trois mètres, dans une sorte d'équilibre, comme adossé à un vent extrêmement puissant qui les eût repoussés l'un vers l'autre. Cela ne dura que quelques secondes. Heureusement ! car entre les deux amoureux, des espèces d'aurores boréales miniatures fusaient en grondant. Les gens du comité ne pouvaient malheureusement goûter le spectacle, car ils avaient été projetés au sol. Les ambulances avaient été brutalement déplacées de plusieurs dizaines de mètres dans un affreux grincement de pneus bloqués. L'hélicoptère que le pilote venait fort à propos de quitter avait exécuté un incroyable bond dans les airs pour retomber sur le dos, comme un gigantesque moustique qu'une main invisible aurait balayé de son revers.

Tout cela avait duré moins de temps qu'il n'en faut pour le raconter. Ève et Olivier avaient été tout aussi terrifiés que les autres de ce pouvoir qui s'échappait d'eux-mêmes sans qu'ils puissent rien faire. Instinctivement, ils s'étaient à nouveau abandonnés à cette force qui les attirait sans compromis l'un vers l'autre. Aussitôt leurs mains de nouveau jointes, le tumulte avait cessé.

Par chance, personne ne fut sérieusement blessé. Tout le monde s'était relevé en se tâtant qui un coude, qui un genou.

— C'est vous qui avez fait ça ? avait demandé un officier éberlué.

— J'ai bien peur que oui, avait répondu Olivier.

La conséquence première de l'étonnant phénomène avait été agréable aux deux amoureux, ils étaient repartis dans la même ambulance. À l'hôpital de la base, il avait été impossible de procéder convenablement aux tests prévus. Dès qu'on les touchait avec un instrument, celui-ci « capotait » et livrait des données complètement incohérentes, quand il ne menaçait pas carrément d'exploser. Même un bon vieux thermomètre au mercure s'illumina comme un tube de néon dans la bouche d'Ève.

On tenta encore de séparer les deux jeunes gens. Tant que la distance entre les deux demeurait en deçà d'un mètre, on n'observait que de jolies lueurs subtilement colorées et on n'entendait qu'un doux grondement, identifié comme la note *la*, le premier *la* d'une contrebasse. Mais à mesure que l'éloignement augmentait, les objets volaient dans tous les sens, d'abord les plus légers, comme les stylos. Les lunettes sautaient du nez de leur propriétaire comme si elles avaient de tout temps attendu ce moment pour se libérer. Puis les téléphones, les claviers... On avait arrêté l'expérience aux chaises. Seuls restaient en place les objets ne contenant pas de métal.

Le cas Ève-Olivier aurait normalement dû faire le tour du monde, mais dès les premières heures, un embargo international empêcha la diffusion de toutes les informations concernant l'Arche. La raison en était que les multiples enquêtes menées simultanément par l'ANGE avaient révélé que la secte bénéficiait de contacts puissants dans presque tous les pays. Comme l'ANGE n'était rien d'autre qu'une créature de ces différents pays, elle avait dû se plier à la loi du secret.

Olivier et Ève, qui ne pouvaient de toute manière mener une vie normale, avaient été emmenés dans une île perdue d'Océanie où ils vivent toujours, dans un petit monde bâti expressément pour eux, c'est-à-dire sans métal. Comme leur amour n'a fait que grandir, ils ne sont pas malheureux.

— Il faut croire que j'étais destinée à vivre sur une île ! disait parfois Ève avec un rien d'amertume dans la voix.

— On ne restera pas toujours ici ! lui répondait Olivier.

Et en effet...

***

La SPM se pose sur la piste spéciale de l'aéroport de Tananarive, à Madagascar. Muriel en descend au bras de Lex Coupal. Elle en veut toujours à l'homme de sa vie, puisqu'elle n'a pas revu son fils depuis trois ans autrement que sur un écran vidéo. Seuls les scientifiques peuvent entrer en rapport direct avec eux, et ce n'est pas qu'une question de secret. On ne connaît rien des effets secondaires de leur état. Muriel a cependant accepté l'idée que son fils ait sauvé l'humanité et que cela vaut bien le sacrifice. Elle a tout de suite aimé Ève, dont la beauté et l'intelligence s'apprécient même par l'intermédiaire de l'électronique. Mais elle s'inquiète de les savoir ainsi soumis à une sorte de mal dont on n'a jamais entendu parler. Et une mère inquiète sera toujours une mère inquiète, même quand les humains voyageront d'une galaxie à l'autre.

Lex Coupal et Muriel se détachent du peloton des touristes. À l'extérieur, une voiture les attend, une de ces nouvelles voitures sans roues, mises au point grâce aux travaux de Sarah Stein.

— Si on allait passer l'après-midi à la plage, suggère Lex Coupal. Après tout, tu es en vacances.

— C'est une bonne idée ; ça fait des siècles que je ne me suis pas planté les orteils dans du sable chaud. Et ça m'aidera à assimiler tout ça.

— Il faut avoir confiance dans l'avenir. L'important, c'est qu'à part le fait de ne pouvoir se séparer sans causer une catastrophe, ils sont heureux et en santé. Et puis n'oublie pas ce qu'ils ont dit la dernière fois, qu'ils avaient noté des choses très encourageantes.

— Oui, mais ils n'ont pas voulu dire quoi. Ce n'était peut-être qu'un gentil mensonge pour me remonter le moral.

— Peut-être...

Lex Coupal ouvre la portière à Muriel qui entre la première dans la voiture. L'air climatisé les saisit un peu, mais ce n'est pas désagréable.

— Vous avez une communication urgente, annonce l'ordinateur de bord, dès leur installation. Est-ce que je démarre quand même ?

— Allez-y. Je l'écouterai en route. Tu m'excuses un instant, Muriel ?

Elle se contente de détourner les yeux. *Maudit métier !* pense-t-elle. Lex Coupal déploie un petit clavier aménagé dans le dossier de la banquette avant, dévoilant un écran par la même opération. Il se colle un récepteur à l'oreille et tape une série de touches. Puis il retire le récepteur en souriant :

— C'est pour nous deux, c'est Olivier !

L'attitude de Muriel change radicalement. Elle enlève ses lunettes de soleil et regarde avec amour le visage de son fils, apparemment en proie à une joie sans bornes.

— Salut ! J'espère que vous êtes en forme parce que j'ai une grosse nouvelle à vous apprendre.

— Ne me dis pas que... Où est Ève, elle n'est pas avec toi ?

— Non, justement. Regardez ça !

Il s'éloigne de la caméra en faisant de grands gestes de théâtre pour montrer qu'il est vraiment seul et qu'il peut bouger à son aise sans provoquer la moindre réaction. Il est dans une sorte de couloir.

— Enfin ! crie Muriel en tapant des mains. Mais Ève ?...

— Oh ! Ève va très bien aussi. Il faut dire que pour elle, cela a été un peu plus compliqué, mais elle a fait ce qu'elle devait faire, comme une artiste...

— Mais fait quoi ? demande Lex Coupal qui ne peut, lui non plus, s'empêcher de rire de bonheur.

— C'est ça ! la grosse nouvelle. Si vous voulez bien me suivre.

Il marche à reculons dans le couloir comme un animateur de télévision qui fait visiter un palais.

— C'était un gros risque, mais Ève et moi, on a décidé de le courir parce qu'on était convaincus que c'était la seule façon de nous en sortir, et parce qu'on en avait vraiment envie. Aussi, les résultats sont les meilleurs et les plus jolis qu'on puisse imaginer.

Sans cesser son baratin, il ouvre une porte et la caméra pénètre dans une chambre vaste et lumineuse. Sur un grand lit tout blanc se détache en un exquis contraste le visage et les bras foncés d'Ève, assise. Elle tient quelque chose dans ses bras. La caméra se rapproche et fait un gros plan sur les deux plus beaux bébés dont on puisse rêver ! Encore tout chauds, les yeux plissés comme s'ils faisaient un gros effort de concentration pour comprendre le monde dans lequel ils viennent d'entrer, les deux bébés, l'un noir, l'autre blanc, dorment comme dorment tous les bébés depuis le début des temps, c'est-à-dire dans la paix totale.

— Des jumeaux !

— Hé oui ! dit Ève, radieuse. Un petit garçon et une petite fille.

— Mais on ne savait même pas que...

— On a préféré ne rien dire pour que vous ne vous fassiez pas de mauvais sang. Voilà, c'est fait, et ils sont absolument normaux.

— C'est tout un cadeau du jour de l'An que vous nous faites là ! s'exclame Muriel en riant de bonheur.

— Avec un peu de chance, ils auraient pu devenir les premiers bébés de l'an 2035, mais qu'est-ce qu'on s'en fout ! rajoute Lex Coupal en riant tout autant.

NOTE DE L'AUTEUR

Quand j'ai écrit ce roman, je croyais qu'un véhicule mû par l'énergie magnétique appartenait au monde de l'imaginaire. C'est que je n'avais pas encore entendu parler du M2P2, *Mini-Magnetospheric Plasma Propulsion*. L'invention du professeur Robert Winglee, de l'université de Washington, à laquelle s'intéresse la NASA, utilise un puissant champ magnétique qui, comme une voile, interagit avec le vent solaire. Le M2P2 pourrait atteindre dans l'espace des vitesses de 300 000 km/h.

Je ne prétends pas être un précurseur, le M2P2 étant bien différent de ma SPM, mais je me réjouis de découvrir que mes fantasmes scientifiques ne sont pas si farfelus qu'ils peuvent le paraître de prime abord.

Source, *Les Cahiers de Science & Vie*, no 58, août-septembre 2000, p. 20 à 23.

Des livres pour toi
aux Éditions de la Paix

127, rue Lussier
Saint-Alphonse-de-Granby, Québec
J0E 2A0

Téléphone et télécopieur
(450) 375-4765
Courriel info@editpaix.qc.ca

Visitez notre catalogue électronique
www.editpaix.qc.ca

Collection ADOS/ADULTES

Ken Dolphin
  Terra-express
Sabrina Turmel
  Le Cycle de la vie
Sylvain Meunier
  L'Arche du millénaire
Suzanne Duchesne
  Nuits occultes
Marcel Braitstein
  Saber dans la jungle de l'Antarctique
  suite de... **Les Mystères de l'île de Saber**
Viateur Lefrançois
  Les Inconnus de l'île de Sable
  suite de ... **L'Énigme de l'œil vert**

Collection JEUNE PLUME

Hélène Desgranges
  Choisir la vie
Collectifs
  Pour tout l'Art du jeune monde
  Parlez-nous d'amour

Collection RÊVES À CONTER

Rollande Saint-Onge
  Petites Histoires peut-être vraies (Tome I)
  Petites Histoires peut-être vraies (Tome II)
  Petits Contes espiègles
    Ces trois derniers titres ont leur guide
    d'animation pour les adultes
André Cailloux
  Les Contes de ma grenouille
Diane Pelletier
  Murmures dans les bois

_____

**Documents d'accompagnement
disponibles**

1 Livre-terrain-de-jeux et cassette de la
  Chanson du courage (paroles et musique)
2 Cahier d'exploitation pédagogique
  (nouveau programme)
3 Guide d'accompagnement pour la lecture
4 Pièce de théâtre

Achevé d'imprimer chez
MARC VEILLEUX IMPRIMEUR INC.,
à Boucherville,
en mars deux mille un